ENQUÊTE AU CŒUR
DU FRONT NATIONAL

ISBN 2-7339-0514-7

Géraud Durand

ENQUÊTE AU CŒUR DU FRONT NATIONAL

JACQUES
GRANCHER
98, RUE DE VAUGIRARD
75006 - PARIS

A mes parents,

AVANT-PROPOS

Le présent ouvrage est le premier d'une série consacrée aux principaux grands partis français contemporains. Il se veut une présentation panoramique exhaustive et objective du mouvement politique aujourd'hui le plus controversé : le Front National. C'est évidemment un pari impossible. Je n'ignore pas que les admirateurs du Front National trouveront ce travail inutilement critique, et ses adversaires par trop complaisant...

Depuis déjà plus de dix ans, depuis ce qui fut appelé le « tonnerre de Dreux » en 1983, le Front National s'est installé au centre de toutes les polémiques. Son irruption sur l'avant-scène politique a effrayé la très grande majorité des citoyens ainsi que des responsables médiatiques et politiques, et rencontré dans le même temps une forte adhésion.

Le score très élevé de Jean-Marie Le Pen il y a plus d'un an aux élections présidentielles – plus de 15 % des suffrages exprimés – constitue le résultat le plus important jamais réalisé par la droite nationaliste dans une élection de ce type. Un point supplémentaire par rapport à 1988. Trois fois plus que celui de « l'homme à la voix de bronze », avocat des partisans de l'Algérie française, maître Jean-Louis Tixier-Vignancour, lors de la première élection du Président de la République au suffrage universel direct, en 1965.

Cette performance, jugée inquiétante par beaucoup d'observateurs français et étrangers, reste celle d'un homme en qui nombre de ses adversaires reconnaissent un tribun doué, mais ne saurait se réduire à une victoire personnelle isolée.

Le parti qu'il préside, lui aussi, a su s'enraciner en séduisant, par des propositions et réponses radicales « *à de bonnes questions* » (Laurent Fabius, 1985) un électorat désorienté par l'immigration, par la pérennité de la crise économique ainsi que par les volte-faces, ou les promesses déçues des responsables politiques «classiques». Ce dernier phénomène étant renforcé par la récente découverte de la corruption en France.

Le Front National compte aujourd'hui onze députés européens et plusieurs centaines de conseillers régionaux et municipaux, dont trois maires de villes de plus de trente mille habitants. La chute de ces trois mairies, révélatrice d'une implantation profonde et durable, a été ressentie comme un séisme dans notre vie électorale.

Toulon, Marignane et Orange ouvrent une perspective pour les cadres et militants du Front National qui, à l'instar de leur chef, souhaitent faire de ces cités un modèle de sécurité, véritable «laboratoire d'essai» d'une préférence nationale pourtant condamnée par les législations nationale, communautaire et internationale en vigueur à ce jour.

Quant à la droite parlementaire RPR-UDF, le Front National devient pour elle, jour après jour, un adversaire de plus en plus dangereux. La menace qui pèse sur la majorité présidentielle, dans la perspective des prochaines élections législatives de 1998, semble très lourde, en raison du maintien possible et plus que probable de plusieurs centaines de candidats frontistes dans le cadre de triangulaires ou de quadrangulaires. La présence lepéniste risque de menacer l'existence même de cette majorité présidentielle. Plus vraisemblablement, elle peut inquiéter la domination gaulliste au sein d'une majorité assez courte, tant les positions de Jacques Chirac et d'Alain Juppé envers le Front National ont toujours été sans ambiguïté.

Depuis longtemps le RPR n'accepte plus aucune compromission électoraliste, même par désistement réciproque, et combat avec fermeté les idées du Front National. Ce que les dirigeants du Front National ne lui pardonnent pas. Sans conteste, les positions du RPR sont plus hostiles que celles d'une partie non négligeable de l'UDF, (du Parti Républicain essentiellement) dont un nombre relativement important d'élus se montrent souvent plus « pragmatiques » au plan local.

Face à l'« épée de Damoclès » que fait régner la formation de Jean-Marie Le Pen sur les mouvements traditionnels ainsi qu'aux questions que se posent nombre de personnes sur l'éthique républicaine et la démocratie du mouvement, et face aux attentes des militants nationalistes (de plus en plus actifs, il faut le souligner, sur le terrain), il convient, afin de mieux comprendre et appréhender le phénomène frontiste, de présenter de la manière la plus neutre et la plus riche d'informations possible ce qu'a été, depuis sa création, le Front National. Ce qu'il est aujourd'hui. Ce que sont ses structures, son idéologie et les hommes qui président à sa conduite. Sans oublier ses réseaux, ses cercles d'influence et amis dont l'action, quelquefois très discrète, semble loin d'être négligeable.

Il n'est pas facile de parler du Front National de façon neutre. Pourtant, nous avons essayé de tenir le pari.

Ce sont donc les résultats d'une longue et passionnante enquête, dans les milieux de la droite extrême, que nous vous livrons, par une présentation que nous espérons pratique et efficace aussi bien pour le néophyte que pour l'amateur éclairé, voire le chercheur.

La méthode employée afin de mener cette étude a principalement consisté, pendant près d'un an, à établir des contacts avec les acteurs du Front National, soit lors d'un ou plusieurs entretiens particuliers (Jean-Marie Le Pen, Bruno Mégret, Bruno Gollnisch, Bernard Antony, Jean-Claude Martinez, Samuel Maréchal, Damien Bariller...), soit à l'occasion de rencontres durant les manifestations organisées par le Front National durant cette période (des députés européens du groupe des droites européennes, des élus, des permanents, des responsables de fédérations sans oublier de simples militants ou sympathisants). Ont également été consultés d'anciens membres du Front National ayant pris ses distances avec lui ainsi, bien entendu, que des responsables politiques de sensibilité opposée à celui-ci. Enfin, la lecture de l'abondante bibliographie consacrée à Jean-Marie Le Pen et à son mouvement s'est révélée, elle aussi, fort instructive.

PREMIÈRE PARTIE

HISTORIQUE

Le Front National fait désormais partie intégrante du paysage politique français. Il est l'un des cinq grands partis légitimés par le suffrage universel. Avec le Rassemblement pour la République (RPR), l'Union pour la Démocratie Française (UDF), le Parti Socialiste (PS) et le Parti Communiste (PC) il forme le « Club des Cinq » du panorama institutionnel, essentiellement depuis les années quatre-vingt qui ont vu son irruption, tel un diable qui sort de sa boîte, sur l'avant-scène démocratique à l'occasion des élections municipales de Dreux.

Lorsque l'on interroge les Français pour leur demander la date de création du Front National, la plupart d'entre eux citent spontanément le début des années quatre-vingt, tant ils assimilent la naissance du Front National à son essor médiatico-électoral. L'événement qui scelle l'envol reste sans nul doute la première Heure de Vérité de Jean-Marie Le Pen du 13 février 1984.

Jean-Marie Le Pen n'est cependant pas un inconnu pour la classe politique et médiatique. Elu plus jeune député de France à vingt-sept ans aux côtés des poujadistes, en 1956, sa silhouette massive hante le milieu politique depuis cette époque, et ses diverses actions et provocations en ont fait un vieux briscard de la droite extrême parisienne et nationale.

En réalité, à l'image de beaucoup de mouvements actuels, le Front National est un parti qui a été créé dans la tourmente politique du début des années soixante-dix. Et si sa fondation remonte à 1972 (il y a bientôt vingt-cinq ans) bien peu s'en souviennent, tant ses scores électoraux frisaient le ridicule. Sa place à l'ultra-droite de l'échiquier lui était à l'époque disputée par un groupuscule plus médiatique inspiré de la Nouvelle Droite, le *Parti des Forces Nouvelles* (PFN).

Il est impossible en 1996 de bien comprendre ce qu'est le Front National, le poids personnel de son président et de certaines figures historiques, son idéologie réelle ainsi que ses ambitions si l'on ne possède pas une vision synthétique, nécessairement sommaire il est vrai, de la genèse de ce regroupement nationaliste autour de la figure tutélaire de Jean-Marie Le Pen.

C'est pourquoi il est apparu indispensable, dans cette étude, de faire figurer en premier lieu une partie historique exposant successivement la traversée du désert connue par les dirigeants du Front National, la montée en puissance dans les années quatre-vingt, puis l'implantation manifeste que connaissent depuis peu les idées et les hommes de ce parti, en dépit d'une marginalisation médiatique qui n'a pas été démentie à ce jour.

CHAPITRE UN

LA LONGUE MARCHE (1972-1982)

Le Front National connaît, à partir de sa fondation, des débuts difficiles. Initialement composé du rassemblement de diverses tendances issues de l'extrême droite française, il se trouve rapidement concurrencé sur ce terrain par une partie de ses fondateurs, entrés très vite en dissidence pour fonder un autre mouvement.

Le Front National devient alors le parti du seul Jean-Marie Le Pen, qui fédère derrière son nom une partie des nationalistes français. Jouant, sous l'impulsion de son chef, la carte du légalisme, le Front National présente durant cette période de dix années des candidats à toutes les élections, en dépit de la persistance de résultats électoraux d'une rare médiocrité. Pourtant, sont déjà présents les discours sur l'immigration ou l'insécurité qui feront son succès sous le septennat de François Mitterrand.

Les racines

Si l'on met à part *l'Œuvre Française* de Pierre Sidos, le Front National est la plus vieille formation d'extrême droite française, son nom n'ayant pas changé depuis 1972, date officielle de sa création.

Le Front National est, lors de sa fondation, sans nul doute un mouvement d'extrême droite, tant par l'origine de ses fondateurs que par celle de ses cadres et de son électorat.

Le Front National va rassembler dans une structure unique tout ce que la droite nationaliste française a su produire depuis 1940 : des collaborationnistes, des pétainistes plus «modérés», des épurés, des résistants droitiers de la première heure, des activistes de l'Algérie française ou de *l'Organisation Armée Secrète* (OAS), des tixieristes, d'anciens étudiants nationalistes de la *Fédération des Etudiants Nationalistes* de Dominique Venner ou d'*Ordre Nouveau* via *Occident*...

La réunion de ces différents courants, très antagonistes la plupart du temps, ne peut s'expliquer que par le contexte historique et le climat politique et social du début des années soixante-dix.

Dans le domaine international, l'affrontement entre les deux blocs – occidental et soviétique – perdure, malgré la relative détente des années soixante. La politique intérieure est imprégnée quant à elle par les séquelles des événements de mai 1968 et de l'après De Gaulle.

Jacques Chaban-Delmas, Premier ministre du Président Georges Pompidou, est la cible d'attaques répétées de la presse (affaire de sa feuille d'impôts révélée par le *Canard Enchaîné*, mise en cause de certains ministres ou députés UDR), comme d'une partie non négligeable de sa majorité. L'aile gaulliste orthodoxe ne lui pardonne pas d'avoir associé au gouvernement ceux qui firent trébucher le Général lors du référendum sur le Sénat et la régionalisation de 1969.

Sur le plan social, l'agitation persiste, même si l'on est loin de l'ampleur des manifestations de 1968. Commerçants et artisans s'unissent autour du CID-UNATI dans un néo-poujadisme violent, afin de témoigner leur inquiétude face aux mutations de la société, et plus prosaïquement face à un fiscalisme jugé étouffant. Alors que les gauches communiste, socialiste et radicale envisagent le rapprochement et l'union autour d'une personnalité emblématique, François Mitterrand, la droite parlementaire se divise entre centristes, libéraux et gaullistes. Leur union derrière la figure de Georges Pompidou paraît, avec le recul, plus factice et légitimiste que solide et convaincue. En témoigneront d'ailleurs les querelles et divisions qui apparaîtront au grand jour dès l'annonce de son décès prématuré en avril 1974.

L'extrême droite, faible et morcelée depuis la Libération, n'a pas disparu totalement de l'environnement politique, même si sa représentation institutionnelle (hormis l'épisode poujadiste) est depuis longtemps réduite à néant.

Les rares et éphémères rassemblements des nationalistes ont principalement lieu dans les années cinquante autour de l'UDCA, plus connue sous l'appellation de *mouvement Poujade* (du nom de son initiateur, Pierre Poujade, le papetier de Saint-Céré). Puis en 1965, autour des *Comités Tixier-Vignancour*, destinés à épauler le ténor du barreau dans la compétition de la première élection présidentielle au suffrage universel direct de la Cinquième République, qui verra la mise en ballottage du Président sortant, le Général De Gaulle.

Parmi les partisans de l'Algérie française soutiens de maître Tixier-Vignancour, se retrouvent d'anciens poujadistes comme Jean-Marie Le Pen, secrétaire général des Comités Tixier-Vignancour, ainsi que d'autres personnalités qui joueront un rôle déterminant dans la constitution du futur Front National : François Brigneau ou Roger Holeindre par exemple.

L'extrême droite de l'époque est caractérisée avant tout par une tendance à l'émiettement en groupuscules, la plupart du temps férocement rivaux plus en raison de considérations de personnes que pour des mobiles d'ordre idéologique.

Ces associations ou réseaux très marqués à l'extrême droite dans l'après-guerre sont principalement : *Est et Ouest* de Georges Albertini, *Jeune Nation* autour de Pierre Sidos (qui fut le premier en France à adopter la croix celtique comme symbole politique), l'*OAS* (Métropole, Algérie, Espagne) avec entre autres Pierre Sergent, *la Fédération des Etudiants Nationalistes* et *Europe-Action* où se retrouvent des noms connus comme Alain de Benoist (future figure de proue de la Nouvelle Droite dans les années soixante-dix et quatre-vingt), François d'Orcival (pilier du groupe de presse de Raymond Bourgine (*Spectacle du Monde* et *Valeurs Actuelles*) et Dominique Venner (écrivain, responsable aujourd'hui de la publication *Enquête sur l'Histoire*).

Le plus connu de ces mouvements activistes droitiers reste *Occident*, structure remplacée le 15 décembre 1969 (après sa dissolution en octobre 1968 par le pouvoir) par une organisation voulue au départ moins centrée sur l'activisme musclé : *Ordre Nouveau*.

Ordre Nouveau est directement à l'origine de la création du Front National en 1972.

Ordre Nouveau veut devenir un véritable appareil politique, à l'image des *Comités Tixier-Vignancour* auto-dissous en janvier 1966. Pour cela, il lui faut acquérir une certaine respectabilité, et donc rompre avec la philosophie brutale des « chevaliers du plastic et de la barre de fer » d'*Occident* : il faut participer à la vie démocratique, par le biais notamment de la présentation de candidats aux élections. Ces nobles intentions ne vont pas sans poser certains problèmes métaphysiques à certains de ses jeunes militants.

Ordre Nouveau, qui a failli se nommer « La Phalange », peut compter à son apogée sur plus de trois mille membres actifs issus pour l'essentiel des anciens commandos d'Occident et du Groupe Union Droit (GUD) dont le bastion est la faculté symbole de Paris II-Assas. Ces trois mille personnes sont avant tout réparties dans les grandes villes comme Paris, Lyon et Marseille ainsi que dans les villes universitaires.

Ordre Nouveau, dont la principale figure émergente est Alain Robert (aujourd'hui membre du RPR), est régenté par « conseil de sages », vieux routiers de l'extrême droite qui désirent transformer Ordre Nouveau en fédérateur de ce qu'ils appellent la « droite de conviction », à l'image de leur modèle idéal, le parti néo-fasciste italien *MSI* de Giorgio Almirante.

Ces « vieux sages » – dont le point commun consiste à avoir tous choisi le mauvais camp durant la seconde guerre mondiale – sont l'ex doriotiste Guy Jeantet, le royaliste et ancien milicien Henri Charbonneau et surtout François Brigneau, connu alors pour ses articles vengeurs dans le journal *Minute*, hebdomadaire fondé à la suite des événements algériens.

Pour différentes raisons, l'essai de transformer Ordre Nouveau en pôle fédérateur et respectable à la droite extrême de l'échiquier politique va s'avérer vain. L'échec des listes Ordre Nouveau lors des élections municipales de 1971 (2,4 % des voix) conduit ses dirigeants, à l'occasion de leur deuxième congrès en juin 1972, à lancer officiellement l'idée d'une structure nouvelle destinée à réussir les objectifs assignés, ainsi qu'à présenter des candidats crédibles pour les législatives prévues en 1973.

Lors de ce congrès, François Brigneau et François Duprat, idéologue pro-fascisant, défendent l'idée de la constitution d'un front rassemblant les différents courants nationalistes, front dont Ordre Nouveau serait le moteur. Selon eux : *« tout parti politique doit disposer d'un véritable noyau d'acier, d'un centre de direction uni et efficace. Ce noyau doit être le groupe de militants qui a créé le mouvement »*. Cette motion est adoptée par la majorité, malgré l'opposition du secrétaire général du *GUD*, Patrice Janeau. Pour la première fois, le terme « Front National » apparaît de manière officielle. Ce doit être l'étiquette des futurs candidats aux législatives de 1973.

La fondation

En réalité, cette idée est présente dans l'esprit des responsables d'Ordre Nouveau dès l'année 1971. L'idée est alors relayée par certains articles qui paraissent dans la presse d'extrême droite. Alain Robert et ses amis sont conscients qu'ils ne peuvent prendre directement la tête d'un tel rassemblement, du fait de leur jeune âge et de leur relative inexpérience. S'ils désirent conserver la direction effective du mouvement, il leur faut trouver une figure emblématique de l'extrême droite pour, selon eux, simplement fédérer les bonnes volontés (voire constituer seulement une façade aux pouvoirs étroits, à l'image d'un Président de la Quatrième République).

Plusieurs personnes contactées se dérobent, comme Dominique Venner, peu pressé de reprendre le combat activiste, ou Jean-Jacques Susini, un ancien de l'OAS.

François Brigneau glisse alors à Alain Robert le nom de l'un de ses amis qu'il avait connu lors de la campagne des Comités Tixier-Vignancour en 1965. Selon lui, Jean-Marie Le Pen est l'homme idéal. Ancien président de la Corpo de Droit, député poujadiste, partisan engagé de l'Algérie française mais non OAS, anti-gaulliste, ancien directeur de la campagne de maître Tixier-Vignancour, et désormais retiré de la politique militante pour se consacrer à son entreprise, la SERP (une société d'édition phonographique spécialisée dans les enregistrements «historiques»), Jean-Marie Le Pen, par son charisme et son entregent, lui semble capable de réunir derrière son nom et sa personnalité les multiples et rivaux courants nationaux et nationalistes, ce qui serait un exploit. Bref, de devenir le Giorgio Almirante français dont Alain Robert rêve depuis de nombreux mois.

A quarante-quatre ans, Jean-Marie Le Pen est séduit par ce projet : celui-ci va lui permettre de rebondir et d'appliquer ses idées, comme chef d'un véritable parti politique, avec des militants potentiellement nombreux. Décidé à ne pas être une simple caution, il parvient à imposer ses vues après de longues et pénibles discussions avec Alain Robert.

Jean-Marie Le Pen se déclare aujourd'hui directement à l'origine du Front National. Si Ordre Nouveau a le premier pressenti la future organisation, c'est Jean-Marie Le Pen qui, au cours des discussions avec Alain Robert au début de l'année 1972, donne sa figure définitive au rassemblement nationaliste. *« La véritable origine du Front National, ça passe par moi. C'est très personnel »* précise-t-il.

Le terme « Front National » reste, il est vrai, empreint du sceau du lepénisme. Tous les mouvements politiques que Jean-Marie Le Pen a dirigés jusque là comportaient dans leur dénomination le nom de « Front National » : le Front National des Combattants, le Front National Combattant, après la dissolution du précédent en 1960, le Front National de l'Algérie Française.

Le Front National de l'Algérie Française était l'organisme qui avait constitué l'ossature du Comité Tixier-Vignancour, avec Jean-Marie Le Pen comme cheville ouvrière. La dissolution du Comité Tixier-Vignancour avait fait perdre aux nationalistes l'élan obtenu durant la campagne présidentielle de 1965 et mis un point presque final à l'ambition de Jean-Marie Le Pen de créer un grand mouvement politique doté d'adhérents fédérés en une centaine de sections.

Lorsque François Brigneau le contacte, Jean-Marie Le Pen voit là l'occasion de reprendre le combat abandonné en 1966. Pour les dirigeants d'Ordre Nouveau il apporte surtout dans la corbeille de la mariée les relations que lui et ses amis du *Cercle du Panthéon* entretiennent depuis toujours dans les milieux ex-poujadistes et de l'Algérie française, ainsi qu'un corpus idéologique nationaliste déjà rôdé.

Jean-Marie Le Pen pour qui *« un Front National n'a de sens que si la rigueur des principes demeure intacte, afin qu'il ne devienne pas un vague conglomérat d'occasion »* souhaite assurer un équilibre politique stable et que de vrais moyens soient confiés au président. Il obtient la constitution d'un bureau national tripartite dont les rapports de force lui sont favorables : un tiers des membres pour ses amis, un tiers pour Ordre Nouveau et un tiers pour les nouveaux ralliés comme les représentants de l'ancien Président du Conseil Georges Bidault, ainsi que diverses personnalités des milieux nationalistes.

Le Front National pour l'Unité Française est lancé officiellement le jeudi 5 octobre 1972 lors d'une réunion à Paris, à la « salle des horticulteurs » ! Le FNUF, que tout le monde dès l'origine appelle FN dans un raccourci percutant, se dote d'un organigramme ainsi arrêté.

Président : Jean-Marie Le Pen ; vice-président : François Brigneau ; secrétaire général : Alain Robert ; secrétaire général adjoint : Roger Holeindre ; trésorier : Pierre Bousquet ; trésorier adjoint : Pierre Durand (ami de Jean-Marie Le Pen du temps de la Corpo au début des années cinquante). Pierre Durand, aujourd'hui décédé, sera un des responsables du quotidien ultra-nationaliste et catholique *Présent* dans les années quatre-vingt.

Un comité directeur de trente personnes est également désigné pour assister le bureau national.

Lors de cette réunion constitutive, l'emblème du Front National est adopté : une flamme tricolore, symbole selon ses dirigeants « de foi et d'espérance nationale ».

Or, ce logo est à l'origine d'une polémique assez vive. Certains font immédiatement remarquer qu'il est le décalque exact, à l'exception bien sûr de la première couleur, de l'insigne du mouvement néo-fasciste italien de Giorgio Almirante, le MSI.

Plutôt que de reconnaître cet étrange coïncidence, les dirigeants du Front National essaient de se défendre tant bien que mal : cet emblème était le plus signifiant et le plus esthétique du marché des logos de l'époque, disent-ils. En réalité, la flamme frontiste est incontestablement issue des relations que le Front National, via Ordre Nouveau, entretient avec les néo-fascistes italiens. Le MSI leur a fait imprimer gracieusement la flamme, en changeant juste la première couleur, et, par la même occasion, a fait cadeau au mouvement d'Alain Robert de quelques dizaines de milliers d'affiches.

Les adhésions sont fixées à 20 francs pour les adhérents simples, 100 francs pour les bienfaiteurs et à partir de 1000 francs pour les soutiens.

La fondation du Front National suscite peu de réactions dans la presse. Pour combler ce vide, dès le 11 octobre, Jean-Marie Le Pen fait paraître dans le journal hebdomadaire *Minute* une tribune dont le titre est éloquent : « Pour une candidature nationale ». Selon lui : « *Il faut proposer aux Français un programme national, défendu dans chaque circonscription par un candidat national* ». Il termine par une phrase pleine d'optimisme en forme de slogan (qu'il reprendra très souvent par la suite) : « *La vie commence toujours demain* ».

Le 15 octobre, Jean-Marie Le Pen publie un appel au rassemblement des nationalistes dans l'organe d'Ordre Nouveau. Il y fait connaître la plate-forme électorale élaborée pour les prochaines législatives. Son titre est direct : « *ce que veut le Front National : les principes de l'Etat National* ». Outre les thèmes classiques de la droite extrême, un sujet passe encore inaperçu, mais se dessine : celui de l'immigration, qui deviendra à partir des années quatre-vingt la thématique phare du Front National.

Dès 1972, nous pouvons lire : « *l'Etat National veille aussi aux conditions dans lesquelles s'effectuent l'immigration et l'arrivée d'étrangers. Rien ne sert en effet de veiller aux frontières d'une nation si une invasion légale, et pour l'instant pacifique, change la nature, le particularisme et le génie de son peuple* ». En février 1973 Jean-Marie Le Pen, dans une tribune libre de *Minute*, revient sur le sujet de l'immigration : « *bien qu'ils ne soient pas racistes, les Français s'inquiètent de voir entrer en France sans aucun contrôle des centaines de milliers d'étrangers, venant surtout du continent africain ! Nous pensons qu'en rémunérant mieux le travail manuel, les besoins de main d'œuvre étrangère seront moins élevés* ». Il faut objectivement noter qu'il est à peu près le seul à insister à l'époque sur ce thème, a priori curieux et éloigné des gens.

La présidence omnipotente de Jean-Marie Le Pen ne fait cependant pas que des heureux. Si Alain Robert se dit en privé déçu par l'absence d'effet Le Pen (pas assez de recrutements ou d'effets fédérateurs), certains, tel Patrice Janeau, rompent ouvertement avec Ordre Nouveau et le Front National pour créer une structure concurrente plus activiste, le *Groupe Action Jeunesse*.

Les législatives de 1973

La campagne des législatives, pour laquelle le Front National avait été constitué, débute par une grande réunion à la Mutualité. Si quatre mille personnes sont attendues, deux mille trois cents personnes assistent en réalité à ce premier meeting. Voilà néanmoins un encouragement pour les cadres du nouveau parti. Devant un gigantesque drapeau tricolore où apparaît en surimpression le slogan *« Avec nous avant qu'il ne soit trop tard »*, suivi de la flamme, la tribune est présidée par un Jean-Marie Le Pen sûr de lui, reconnaissable à son bandeau sur l'œil gauche, à la Moshé Dayan. A ses côtés figurent Pierre Bousquet, François Brigneau, Pierre Durand, Roger Holeindre et Alain Robert. Jean-Marie Le Pen y présente le premier numéro d'un journal, *Front National* (l'ancêtre de *Le National*, *National Hebdo* ainsi que de *La lettre de Jean-Marie Le Pen*), et annonce de manière quelque peu optimiste la candidature de quatre cents candidats frontistes. Ils ne seront finalement que cent quatre.

La campagne est pilotée de la permanence du Front National, inaugurée en décembre 1972. Celle-ci est située à Paris, dans le VIIIe arrondissement, au deuxième étage du 7 de la rue de Surène, près de la très mondaine église de la Madeleine. Elle ne sera abandonnée qu'en 1980 pour la rue de Bernouilli.

Sur quatre cent soixante-treize circonscriptions, on dénombre quatre cents candidatures d'union de la gauche PS-MRG et quatre cent cinq candidatures uniques UDR-RI-CDP. Ce qui laisse peu d'espoirs à l'extrême droite, malgré les sept minutes de temps d'antenne dont dispose pour la première fois le Front National dans le cadre de la campagne officielle.

Paris est privilégié par le bureau politique du Front National pour des raisons de prestige, mais aussi de nécessité.

Sur les cent quatre candidatures Front National, trente et une ont pour cadre la capitale. Jean-Marie Le Pen se présente, lui, face à la présidente du Conseil de Paris, Nicole de Hauteclocque.

Les affiches du candidat Le Pen sont éloquentes. A côté de sa photographie (surmontée d'un curriculum vitae élogieux) l'objectif est déclaré sans ambages : *« chasser les voleurs du pouvoir, barrer la route au front populaire, défendre les Français »*.

Pierre Durand est candidat dans le VIe arrondissement, Roger Holeindre dans le XVIIIe, Jean-Marc Brissaud dans le XXe, François Duprat dans les Yvelines, Dominique Chaboche et François Brigneau dans les Hauts-de-Seine, André Dufraisse dans le Nord (ami intime de Jean-Marie Le Pen et époux de Martine Lehideux, André Dufraisse était surnommé par ses proches, en raison de son passé et de ses inclinaisons, « Tonton Panzer » !).

Plusieurs meetings ont lieu, tel celui de Paris du 17 janvier où, devant plus de trois mille personnes une animation audiovisuelle – qui dénonce la classe politique « dévoyée » – est projetée. La réunion de clôture a lieu également à Paris à la salle de la Mutualité, le 26 février 1973.

Dans la dernière ligne droite de la campagne, *Défendre les Français*, un programme officiel du Front National d'une trentaine de pages est adopté par le conseil national.

Selon la rumeur, ce document aurait été écrit pour une bonne part par Gérard Longuet. Gilles Bresson et Christian Lionet, dans leur volumineuse et instructive biographie de Jean-Marie Le Pen, reviennent sur cette question : « ce document a-t-il été rédigé pour l'essentiel par Gérard Longuet ? »

« Certains dirigeants du Front National affirment avoir vu Gérard Longuet lire sa copie assis sur un pouf, villa Poirier (domicile, à l'époque, de Jean-Marie Le Pen dans le

XVe arrondissement de Paris). *L'intéressé dément formellement.*»

Jean-Marie Le Pen, que j'ai interrogé à ce sujet, confirme
pourtant : « *Il y a participé, en particulier toute la partie de la
santé, c'est lui* ».

Ce programme aborde déjà des thèmes qui se retrouve-
ront dans les plate-formes futures du Front National : renforcement du contrôle parlementaire, choix de la
proportionnelle, défense des agriculteurs commerçants et
artisans, question de l'immigration (« *Le Front National
exige que soit mis fin aux politiques absurdes qui tolèrent
une immigration sauvage dans des conditions matérielles et
morales désastreuses pour les intéressés et déshonorantes pour
notre pays* »), prime à l'armée de métier sur la conscription,
amnistie pour les anciens de l'OAS, condamnation du marxisme et du gauchisme post-soixante-huitard et... surprise...
au sujet de l'avortement : possibilité, dans certains cas très
circonscrits et après le suivi d'une certaine procédure, de
l'interruption volontaire de grossesse, ceci bien avant la loi
Veil !

Il faut ici voir l'influence d'Ordre Nouveau et de ce qu'on
appellera la Nouvelle Droite, les catholiques traditionalistes
n'ayant pas à l'époque rejoint le Front National.

Le premier tour (4 mars) voit le succès des candidats de la
majorité, malgré une bonne percée de l'union de la gauche.
Pour le Front National, c'est la débâcle : 2,3 % des suffrages dans les circonscriptions où il était présent et 1,32 % de
moyenne nationale. Seuls quelques candidats dépassent la
barre des 5 %, dans les Hauts-de-Seine, en Haute-Loire,
dans l'Hérault et à Paris, où le président du Front National
a su rassembler sur son nom 5,5 % des suffrages.

Beaucoup, à Ordre Nouveau, se montrent déçus de ces
résultats.

Alain Robert veut renouer avec les vieilles méthodes, fondées sur les joutes physiques dans les universités. Même si
François Brigneau tente de calmer le jeu en continuant l'expérience démocratique, certains éléments plus radicaux s'en
prennent nommément à la direction du Front National lors

du premier congrès du Front National, les 28 et 29 avril 1973, à l'hôtel PLM Saint-Jacques à Paris.

Le pacte d'alliance avec Ordre Nouveau est cependant reconduit.

Jean-Marie Le Pen, qui à la tribune a condamné la violence en ces termes : *« il faut se défier de l'activisme physique ou politique »*, est confirmé comme président.

La crise entre Jean-Marie Le Pen et Ordre Nouveau va être dénouée par... le pouvoir gaulliste. En effet, Ordre Nouveau, afin de muscler son discours, décide de mener une grande campagne nationale contre *« l'immigration sauvage »*. Cette campagne est soutenue du bout des lèvres par les amis de Jean-Marie Le Pen, pour deux raisons :
- l'identité de ses promoteurs, ennemis déclarés de Jean-Marie Le Pen ;
- la trop grande originalité du thème. *« Faire figurer ce thème dans un programme, d'accord, mais faire toute une campagne dessus n'est-ce pas trop risqué et démagogique ? »* s'interrogent certains à haute voix.

Ordre Nouveau convoque donc une grande réunion à la Mutualité pour le 21 juin avec pour mot d'ordre *« Halte à l'immigration sauvage »*. Dans la soirée du 21, des incidents d'une rare violence opposent les CRS, venus protéger le meeting, et des centaines de *« gauchistes »*. Ceux-ci vont jusqu'à assiéger le local d'Ordre Nouveau, rue des Lombards. Les blessés sont nombreux. Ces affrontements font la « une » de toute la presse du lendemain. Une perquisition a lieu le 22 juin au siège d'Ordre Nouveau. Elle débouche, selon le ministre de l'Intérieur, Raymond Marcellin, sur *« la découverte de nombreuses armes par destination et, entre autres, de vingt-quatre manches de pioche, quarante et une barres de fer et trente et une perches de bambou affûtées »*.

Pour lui *« Depuis le 1ᵉʳ janvier 1973, Ordre Nouveau et ses militants se sont rendus coupables, sur tout le territoire national, d'une dizaine de manifestations violentes et d'actions de force. Cette organisation est étroitement liée à des partis néofascistes étrangers »*.

Mais Ordre Nouveau n'est pas la seule organisation visée. La *Ligue Communiste Révolutionnaire*, qui est à l'origine des événements du 21, l'est aussi. Ainsi donc, le Conseil des ministres prononce-t-il la dissolution de la Ligue Communiste Révolutionnaire et celle d'Ordre Nouveau.

La dissolution d'Ordre Nouveau a pour principal effet de précipiter le divorce entre Jean-Marie Le Pen et Alain Robert. Après un conseil national houleux en septembre, puis une guérilla larvée, Jean-Marie Le Pen reprend totalement en main le Front National. Alain Robert et François Brigneau quittent l'union nationaliste, un peu amers, pour fonder quelques temps plus tard, en juillet 1974, le parti qui deviendra le concurrent direct du Front National, le *Parti des Forces Nouvelles* (ou PFN). Jean-Marie Le Pen, qui a besoin d'une jeune garde militante, décide de remplacer Alain Robert et ses amis par une structure interne au Front National, le *Front National de la Jeunesse* (ou FNJ), confié en décembre 1973 à Christian Baeckeroot.

La naissance agitée du Front National, où complots d'opérette et rivalités se sont succédés, se résume à quelques traits forts. Deux lignes politiques se sont opposées : l'une issue de l'activisme, toujours tentée par la culture groupusculaire et voulant diriger en sous-main le rassemblement autour du Front National, l'autre issue de la droite extrême parlementaire, souhaitant faire du Front National un véritable parti institutionnel.

Dans les deux cas (ce qui est symptomatique chez les nationalistes français) des querelles de personnes ont pris rapidement le pas sur l'idéologie, et les dissensions réelles peuvent se résumer à une lutte de personnes entre Jean-Marie Le Pen et Alain Robert.

En fin de compte, par son expérience, son intelligence et quelquefois sa brutalité, Jean-Marie Le Pen réussit à imposer sa vision d'un mouvement rassemblé autour d'un chef pour jouer à fond la carte de la légalité et de la respectabilité. Ce qui, on le comprend, dut profondément heurter les sensibilités de certains membres, peu versés dans l'art démocratique.

Il faut noter que le Front National, en dépit d'un programme jugé très excessif par l'immense majorité des citoyens, va s'en tenir durant toute son existence à cette ligne de conduite qui tranche avec une certaine tradition de l'extrême droite en France.

L'acceptation du jeu des institutions républicaines, si elle s'est avérée payante à terme pour les frontistes, n'aidera pas le moins du monde le Front National à décoller dans les élections durant les années soixante-dix.

L'échec des présidentielles de 1974

Les élections présidentielles de 1974 vont permettre à Jean-Marie Le Pen d'atteindre une tribune nationale et de se faire découvrir, espère-t-il, de l'ensemble des Français. Il regrette secrètement de ne pas s'être présenté en 1965 à la place de Jean-Louis Tixier-Vignancour.

C'est pourtant lui, Jean-Marie Le Pen, qui avait à l'époque imposé au forceps la candidature de l'avocat.

Les raisons de ce choix étaient simples et d'ordre matériel.

Le financement de la campagne est entièrement à trouver. Pour Jean-Marie Le Pen : « *Tixier vaut un milliard de centimes* ». Jean-Louis Tixier-Vignancour est un ténor du palais de justice, ne l'oublions pas. Or le choix s'avère décevant. Le candidat nationaliste ne fait que très modérément campagne et ne semble guère à la hauteur de sa réputation. La raison est à présent connue : Jean-Louis Tixier-Vignancour apprendra le lendemain de sa candidature officielle qu'il est tuberculeux, à un stade avancé.

Jean-Marie Le Pen pense aujourd'hui : « *J'aurais fait au moins autant de voix que lui, nous aurions poursuivi l'action. Il n'y aurait pas eu 1968. S'il y avait eu une droite nationale forte, l'Etat aurait recouvré sa fonction d'arbitrage entre une gauche révolutionnaire et une droite nationale* ».

En 1972, lors de la fondation du Front National, Jean-Marie Le Pen s'était juré : « *si je reviens, j'irai jusqu'au bout. Je ne m'arrêterai plus* ». La présence de Jean-Marie Le Pen aux élections présidentielles, à la fin du mandat de Georges Pompidou, coule donc de source.

Depuis la fin de l'année 1973, les rumeurs sur la santé du Président Georges Pompidou s'amplifient dans le microcosme parisien. Beaucoup n'hésitent plus à prédire une démission, puis une élection présidentielle anticipée en 1974 ou 1975.

Jean-Marie Le Pen, qui a toujours eu pour intime conviction que lorsque l'on est candidat à l'élection présidentielle il faut se déclarer le plus tôt possible, convoque le 17 mars 1974 un conseil national à l'hôtel Lutetia, au cours duquel il est désigné à l'unanimité (les esprits farceurs diraient « à la soviétique »), candidat du mouvement national. Le 24 mars, à Lille, il parie sur une présidentielle prématurée et le 28, présente un *Programme de Salut Public du Front National*.

A cette occasion il affirme cependant : « *l'élection présidentielle devrait avoir lieu en 1976... L'étendue des responsabilités du Président, en particulier dans le domaine militaire, fait de chacun de ses gestes une affaire politique, de chaque maladie une affaire d'Etat !... Chacun est donc en droit, sans manquer aux devoirs de la courtoisie ou de la charité, de penser d'abord à l'avenir et à l'intérêt du peuple français. En ce qui me concerne, et pour toutes sortes de raisons dont la moindre n'est pas la nécessité pour un candidat comme moi de rassembler les moyens matériels et les concours politiques indispensables à la campagne, je souhaite que l'élection ait lieu à la date prévue, et donc longue vie et bonne santé au Président !* »

Le soir du 2 avril, à 22 heures, les Français apprennent le décès du Président Pompidou, à son domicile parisien de l'île Saint-Louis, des suites d'une longue maladie. Le choc est immense dans le pays et dans la classe politique. Après une période de deuil national, le premier tour est fixé au 5 mai.

Les principales candidatures : François Mitterrand à gauche, Jacques Chaban-Delmas contre Valéry Giscard d'Estaing, soutenu par le gaulliste Jacques Chirac, à droite. L'aile ultra de la majorité préfère suivre Jean Royer qui, par son conservatisme réactionnaire, ne peut que gêner Jean-Marie Le Pen dans ses tentatives de séduction du pôle extrême de la majorité.

Selon les aveux de Jean-Marie Le Pen, la candidature du maire de Tours reste ce qui l'a le plus handicapé durant cette campagne. Il résume aujourd'hui : « *Royer, c'est l'opération Villiers. Ce sont des opérations qui ne peuvent pas gagner, qui sont des opérations fugaces, mais qui portent des coups très durs* ».

Jean-Marie Le Pen peut se porter facilement candidat, les règles de présentation étant les mêmes qu'en 1965 et 1969 : cent signatures d'élus locaux répartis sur dix départements minimum, plus une caution de dix mille francs. Douze candidats sont, dans ces conditions, finalement retenus par le Conseil Constitutionnel.

Son programme reprend celui du Front National aux législatives de 1973 et peut être ramené à : « *Un Etat fort pour une France libre et fraternelle, capable de faire respecter ses lois pour défendre les Français contre la menace extérieure de la subversion communiste* ». Dans ce combat, où il a failli avoir pour rival Pierre Sidos, de l'*Œuvre Française*, il peut compter sur l'opposition farouche d'Alain Robert qui, lui, a choisi Valéry Giscard d'Estaing, et assurera le service d'ordre de celui-ci contre une somme que certains tiennent pour non négligeable.

La campagne est courte, et, malgré le déploiement d'une énergie intense, Jean-Marie Le Pen n'arrive pas à se faire entendre. Loin de rassurer, il fait même plutôt peur, avec son bandeau sur l'œil. Les trotskistes n'hésitent pas, pour la première fois, à faire allusion à un passé trouble du lieutenant Le Pen en Algérie.

En dépit d'une condamnation du journal *Rouge* (publication officielle de la Ligue Communiste Révolutionnaire) pour diffamation, des accusations similaires seront à nouveau portées dix années plus tard et ressortiront régulièrement, malgré les dénégations et les assignations de Jean-Marie Le Pen, au gré des échéances électorales.

Les Français, eux, ont avant tout été mobilisés par l'affrontement classique droite-gauche. Les résultats surprennent et déçoivent Jean-Marie Le Pen. François Mitterrand arrive en tête avec 43 % des voix, devant Valéry Giscard d'Estaing (32,6 %) et Jacques Chaban-Delmas (15 %). Jean-Marie Le Pen n'est que septième avec 0,74 % des voix soit 191.109 suffrages, loin derrière Jean Royer qui, avec ses 3,2 %, dépasse Arlette Laguiller et René Dumont.

Le choix pour le second tour ne semble pas facile à adopter au sein du Front National. Certains prônent l'abstention. D'autres, pour se venger d'Alain Robert, n'hésitent pas à militer ouvertement pour le soutien à François Mitterrand, comme au temps de Tixier-Vignancour contre De Gaulle, « bradeur de l'Algérie ». Jean-Marie Le Pen, qui se rappelle des séquelles de 1965, réussit non sans mal, lors d'un conseil national au Lutetia, à faire voter une motion de soutien sans équivoque à Valéry Giscard d'Estaing *« pour faire barrage au socialo-communisme »*.

La difficile organisation sous le septennat Giscard d'Estaing

Les résultats de la présidentielle ne sont pas bons ni encourageants, même si aujourd'hui le Front National claironne dans son album hagiographique *Vingt ans au Front* : *« un tel score aurait pu décourager Jean-Marie Le Pen et ses amis. Ils décident au contraire d'en tirer argument pour poursuivre le combat »*.

C'est dans une ambiance de défaite que se tient en juin 1974 le deuxième congrès du Front National à Paris. Des décisions internes touchant à l'organisation du parti sont ratifiées : le Front National de la Jeunesse voit ses moyens améliorés, le journal *Le National* sera lancé, un programme de créations et de visites de fédérations départementales est approuvé. Sont promus au comité central l'historien Jean-François Chiappe et le milliardaire Hubert Lambert, un fils de famille décrit comme peu brillant, propriétaire des ciments Lambert, qui léguera plus tard à Jean-Marie Le Pen un héritage conséquent – dont le manoir de Montretout, dans le parc de Saint-Cloud (héritage qui a fait l'objet de nombreuses polémiques).

En septembre 1974, la première université du Front National de la Jeunesse se déroule dans les Yvelines. Au mois de novembre paraît le premier numéro de *Faire Front*, mensuel militant dont certains collaborateurs ne sont pas des inconnus : Jean-François Chiappe, François Duprat (historien nationaliste-révolutionnaire assassiné en 1978), Alain Renault (proche aujourd'hui de Philippe de Villiers), Yann Clerc (célèbre journaliste), ADG (auteur de nombreux romans policiers dans la *Série Noire*) ou Michel de Saint-Pierre (écrivain catholique traditionaliste, décédé il y a quelques années). A la même époque est fondé un *Institut d'Etudes Nationales* (IEN), destiné à endoctriner les cadres. C'est la première mouture de l'actuel *Institut de Formation Nationale* (IFN), qui réunit aujourd'hui chaque mois les cadres du parti autour d'un thème précis et d'un conférencier issu des rangs des élus du Front National ou de son «conseil scientifique», organe qui rassemble les universitaires frontistes.

De 1975 à 1978 le Front National, sous l'égide de Pierre Durand, organise des journées «culturelles» où des écrivains viennent dédicacer leurs ouvrages. Se prêteront notamment à cette expérience *« d'opposition à la culture et à l'intelligentsia gauchisantes »* (dixit le Front National) : Arletty, Jacques Benoist-Méchin, Raoul Girardet, Geneviève Dormann, Dominique Venner, Jean Mabire (écrivain néopaïen), Saint-Loup (écrivain et ancien combattant du front de l'Est), Maurice Bardèche (écrivain et beau-frère de Brasillach), Erwan Bergot ou Jean Raspail.

Le troisième congrès du Front National se tient en mai 1975, cette fois-ci en province, chez Alain Jamet à La Grande-Motte, du 1er au 4 mai. Ses travaux s'étalent sur trois jours complets. La devise de ce rassemblement est : « *Etre et durer* ». Le Front National insiste ici sur la formation à long terme, et sur le plan doctrinal se place résolument à droite, tandis que sur le plan économique des accents pré-reaganiens se font sentir.

En ce qui concerne la stratégie politique, la ligne peut se définir en quelques mots : sus à Giscard d'Estaing et ses amis !

En dépit de bonnes relations avec des proches du Président de la République, tels Jacques Dominati (qu'il avait connu lorsqu'il était à la Corpo) et son directeur de cabinet, un certain Jean-Marie Le Chevallier (futur maire de Toulon), le courant n'est jamais totalement passé entre Jean-Marie Le Pen et Valéry Giscard d'Estaing. Ils avaient pourtant tous les deux siégé sur les mêmes bancs Indépendants à l'Assemblée Nationale, au début des années soixante. Entre eux, point de haine, comme ce sera le cas entre Jacques Chirac et Jean-Marie Le Pen, mais plutôt une courtoisie très distante. Valéry Giscard d'Estaing, bien que n'ayant rien contre le Front National (il a côtoyé par l'entremise de Michel Poniatowski bien plus à droite, les anciens d'Ordre Nouveau), trouve le personnage Le Pen trop provocateur et incontrôlable. Surtout, il ne pardonne pas à ce « Monsieur 0,74 % » ses attaques virulentes. Jean-Marie Le Pen l'accuse sans cesse de faire par son « libéralisme avancé » le lit du marxisme et du communisme. Ceci n'empêchera pas Valéry Giscard d'Estaing, pragmatique, de déléguer, jusqu'au début de l'année 1981, un membre de son cabinet pour entretenir des relations (secrètes, évidemment) avec le président du Front National. Jean-Marie Le Pen le reconnaît aujourd'hui : « *Il y a eu une certaine liaison avec Giscard. Cette liaison va disparaître en 1981 pour des raisons qui nous sont étrangères, quand la personne en charge de ces relations sera écartée du cabinet* ».

Valéry Giscard d'Estaing est, depuis son élection, la cible privilégiée des charges des journaux du Front National et Jean-Marie Le Pen n'hésite pas à l'attaquer de front. Ainsi, par exemple, n'hésite-t-il pas à affirmer avec toujours le même sens du raccourci : « *Monsieur Giscard d'Estaing n'est pas digne de diriger le pays. La "démocratie" giscardienne sent le renfermé petit-bourgeois. On l'avait pris pour le fils de Pinay, c'est en fait le bâtard de Mendès-France* ».

En mars 1976, à l'occasion des cantonales, le Front National décide de présenter des candidatures d'opposition au pouvoir. Compte tenu du mode de scrutin et de difficultés financières, le Front National ne peut présenter qu'une quinzaine de candidats pour aller au « casse-pipe ». L'échec est toutefois relatif, puisque les circonscriptions et les candidats ont été bien choisis. Les résultats ne sont pas ridicules. Le Front National, en moyenne, rassemble près de 6 % des suffrages exprimés.

Le quatrième congrès du Front National se déroule le 1er novembre 1976 en pleine terre communiste de Bagnolet, dans un climat morose. Malgré l'absence d'un succès déterminant, la ligne politique d'opposition franche à la majorité chiraco-giscardienne perdure. L'objectif prioritaire : conquérir une audience nationale en abreuvant les médias de déclarations et de communiqués de presse. Pour Jean-Marie Le Pen : « *Il faut briser le mur du silence et de la désinformation* ».

En écho à cette déclaration d'intention, par une tragique ironie du destin, c'est le mur de son immeuble de la Villa Poirier, dans le XVe arrondissement de Paris, qui est brisé, le lendemain soir à 4 heures 45, par une violente explosion (cinq kilos de dynamite). Seul un bébé est blessé au bras. Un vrai miracle, compte tenu de l'évidente intention de tuer. Les auteurs ne seront jamais retrouvés.

Grâce à l'héritage Hubert Lambert, récolté quelques temps plus tôt, Jean-Marie Le Pen emménage à Montretout, somptueuse résidence qui lui sert aujourd'hui de quartier général. C'est de là que, depuis de nombreuses années, il gère directement et personnellement toutes les affaires concernant le Front National.

Le Front National, poursuivant son habitude légaliste, décide de présenter des listes aux élections municipales de 1977.

Si quelques listes en province, où figurent des frontistes, réussissent très honorablement, à Paris l'échec s'avère cuisant ; les listes lepénistes, qui se présentent seules, ne recueillent que 1,86 % des suffrages exprimés. Il est vrai que le duel au sommet Jacques Chirac-Michel d'Ornano, acte final d'une rupture durable et profonde entre les néo-gaullistes (organisés depuis décembre 1976 autour du RPR) et les giscardiens, a monopolisé l'attention. Cet enjeu a retenu le souffle des électeurs de droite.

Il est toutefois intéressant de relever que c'est à l'occasion de cette campagne que le discours de nature anticommuniste du Front National commence pour la première fois à être supplanté au profit de thèmes liés à l'immigration.

C'est précisément lors de la préparation des élections législatives de 1978, où l'enjeu pour la majorité consiste à éviter de perdre le pouvoir – une coexistence du Président Giscard d'Estaing avec un Premier ministre socialiste étant même envisagée à droite – que cette thématique passe au premier plan chez les frontistes, via une campagne d'affichage à travers toute la France.

Les slogans des affiches évitent nuances ou quiproquos possibles : « *Halte au chômage, le travail aux Français* », « *Priorité aux Français* ».

Une affiche surtout *(« 1 million de chômeurs, c'est 1 million d'immigrés en trop »)* fait scandale. Elle rappelle fâcheusement ce slogan vu en Allemagne dans les années trente : « *700 000 chômeurs, 700 000 juifs* ».

Le tiers du noyau actif du Front National d'alors se présente aux législatives, soit cent soixante-deux candidats et cent soixante-deux suppléants. Parmi ceux-ci, de nouvelles recrues issues d'un groupuscule d'extrême droite, le *Mouvement Solidariste*, dont l'emblème est le trident.

Les arrivants les plus connus : Jean-Pierre Stirbois (futur secrétaire général du Front National, décédé lors d'un accident de la circulation en 1988), sa femme Marie-France (future député de Dreux), et Michel Collinot (spécialisé dans l'organisation des manifestations).

Malgré une campagne musclée sur le terrain des idées, le soir du premier tour, le 13 mars, tourne à la déroute : 94.600 voix au total, soit le pourcentage quasi nul de 0.33 % ! Même Jean-Marie Le Pen dans une circonscription qu'il connaît bien, face à Edouard Frédéric-Dupont (le « député des concierges » et futur élu Front National en 1986 – ironie de l'histoire !) ne totalise que moins de 4 % des suffrages.

Deux jours avant le second tour (le 18 mars) François Duprat, à trente-sept ans, est victime d'une bombe, posée sous sa voiture. Il décède sur le coup. Sa femme est sérieusement touchée. Les commanditaires ne seront jamais retrouvés. Les pistes avancées : un règlement de comptes au sein de l'extrême droite ou une action de type « barbouze » – François Duprat ayant frayé, selon la rumeur, avec des services de renseignement. C'est en tout cas à cette dernière hypothèse que le Front National se raccroche officiellement.

Pour Jean-Marie Le Pen, le crime est l'œuvre de professionnels, mais, avec le recul, il avance aujourd'hui une autre hypothèse : « *François Duprat a été tué parce qu'il avait traduit ou fait traduire un ouvrage anglais qui s'appelait "Six millions ?". En quelque sorte, Duprat fut le premier des négationnistes. Il fait ça en dehors du Front National. Il a eu une double action* ».

François Duprat, qui s'était imposé par un travail de fond à la fonction de secrétaire général, va manquer à Jean-Marie Le Pen, qui lui porte une certaine fidélité : un de ses premiers gestes après les élections législatives du 16 mars 1986 – qui verront un groupe de députés frontistes entrer au Palais Bourbon – sera d'aller, flanqué de ses élus, fleurir la tombe du professeur d'histoire spécialiste du fascisme européen.

Selon la « légende » frontiste, c'est cet assassinat qui a provoqué l'adhésion au Front National d'un jeune étudiant de vingt ans, Carl Lang. Ce dernier occupera quelques années plus tard, à la suite du décès accidentel de Jean-Pierre Stirbois, les fonctions de secrétaire général du Front National.

Le cinquième congrès du Front National a lieu les 11 et 12 novembre 1978 à Rueil-Malmaison. Outre la réorganisation du bureau politique, avec l'entrée de Jean-Pierre Stirbois, c'est surtout la préparation des élections européennes de 1979 qui commence à occuper les esprits. En effet, cette fois, le mode de scrutin devient favorable. Il n'y a plus, comme pour les élections passées, le scrutin majoritaire uninominal à deux tours (qui a pour principal effet de laminer les extrêmes) mais au contraire la représentation proportionnelle intégrale, favorables aux petits candidats qui peuvent ainsi espérer obtenir des élus.

Avec 5 % des voix, il est raisonnable d'envisager quatre sièges. Néanmoins, le Front National n'est pas le seul à vouloir partir en lice. Le PFN, éternel concurrent, a déjà entamé des manœuvres depuis quelques mois en inventant avec les fascistes européens (notamment les italiens du MSI et les franquistes espagnols) le concept d'une Eurodroite.

Le congrès fondateur de l'*Eurodroite* est convoqué par Giorgio Almirante à Rome du 19 au 21 avril 1978. Les représentants français : uniquement ceux du PFN. Aucun membre du Front National n'est présent. Jean-Marie Le Pen n'est pas « persona grata » chez Almirante à l'époque.

Le principe d'une liste française organisée par le PFN est arrêté à ce fameux congrès. Alain Robert et Pascal Gauchon (l'idéologue du PFN très inspiré par la Nouvelle Droite et les idées inégalitaires et païennes du GRECE) mettent en selle maître Jean-Louis Tixier-Vignancour. Ils lui demandent de conduire leur liste, autant en témoignage de son passé que pour écarter Jean-Marie Le Pen.

Le président du Front National, qui a senti le danger, annonce lui aussi le 17 février la constitution d'une liste Front National. Fin mars, il invite maître Tixier-Vignancour à négocier en vue d'une liste commune. La manœuvre de Jean-Marie Le Pen réussit. François Brigneau, rédacteur en chef de *Minute,* calme le jeu par sa médiation. Après d'âpres discussions, le président du Front National obtient le désistement de son rival. Jean-Louis Tixier-Vignancour se retire fin avril de la première place.

Si l'écrivain traditionaliste Michel de Saint-Pierre est choisi en tête de liste, plus par défaut que par franche adhésion, Jean-Marie Le Pen n'arrive cependant pas à conquérir la deuxième position et doit se contenter de la troisième, derrière Jean-Louis Tixier-Vignancour.

Un rebondissement intervient le 23 mai.

Ni Jean-Louis Tixier-Vignancour, ni Michel de Saint-Pierre ne veulent avancer un centime pour financer la campagne ; seul Jean-Marie Le Pen propose, grâce à l'héritage Hubert Lambert, d'amener un million et demi de francs. Faute d'avoir pu rassembler les six ou sept millions de francs indispensables, et de peur que la liste fasse moins de 5 % – avec pour conséquence qu'elle ne soit pas remboursée de ses frais – les trois hommes annoncent leur renoncement à constituer une liste.

Ultime « surprise », juste avant la limite de dépôt des candidatures, le PFN annonce qu'il est en mesure réunir la somme, grâce à l'appui des Italiens.

Pascal Gauchon et Jean-Louis Tixier-Vignancour ont, dans la dernière ligne droite, négocié avec le MSI. Pascal Gauchon et Alain Robert proposent à Jean-Marie Le Pen le maintien de sa place dans une liste à dominante PFN, baptisée *Union Française pour l'Eurodroite*. Le président du Front National ne veut pas sacrifier son indépendance et devenir l'otage de ses rivaux. Il refuse sans hésitation.

Au nom du Front National, il prône donc le refus de vote. Mais sa présence dans la campagne ne passe pas inaperçue, surtout du côté de la majorité giscardienne. La consigne du Front National : perturber les réunions de leur nouvelle bête noire, Simone Veil. La loi sur l'interruption volontaire de grossesse a traumatisé les éléments les plus catholiques du Front National.

Un soir même, le 8 juin, salle de la Mutualité puis rue Lepic, le chambardement atteindra à son paroxysme : arrivant à un meeting, Simone Veil a la désagréable surprise de voir Jean-Marie Le Pen à la tribune. Il s'est emparé du micro devant une salle qui lui est en réalité acquise. Simone Veil, à qui Le Pen donne la parole, lance d'un ton sans appel : « *Allez vous coucher. Vous êtes des nazis au petit pied. Vous ferez toujours 1 %* ».

La soirée, il va sans dire, se termine dans une rixe généralisée.

Au soir des résultats, le 10 juin, Jean-Marie Le Pen exulte.

La liste PFN est enfoncée, avec 1,31 % des suffrages, et ses adversaires nationalistes définitivement atteints, moralement mais surtout financièrement. Jean-François Chiappe, vice-président du Front National, résumera lors du comité central du 30 septembre 1979 la rocambolesque aventure nationaliste aux européennes par la boutade suivante : « *nous avions le Saint-Pierre, mais nous n'avions pas l'oseille...* »

Pour le PFN, les élections européennes de 1979 sonnent le glas des ambitions. À partir de là, ses dirigeants négocient leur rentrée dans le giron de la droite classique, via la « baignoire à fachos », c'est à dire le *Centre National des Indépendants et Paysans* qui est en fait, à l'époque, complètement manipulé par le RPR.

Le rendez-vous raté de 1981

Dès l'automne 1979, Jean-Marie Le Pen a tourné avec satisfaction la page européenne, et n'a plus qu'une seule idée en tête : comme en 1965 et 1974, présenter un candidat nationaliste aux élections présidentielles, échéance capitale dans le système institutionnel de la Cinquième République.

Bien sûr, il pense tout naturellement à être ce candidat.

Pour plus d'efficacité, il veut se dégager provisoirement de l'appareil du Front National – en évitant ainsi d'apparaître comme un candidat partisan. Selon lui, cela permettra de ratisser plus large, et de faire par surcroît le ménage dans la boutique Front National. Il souhaite confier sa campagne à un Comité Le Pen, à l'image du Comité Tixier-Vignancour de 1965. Pour coordonner celui-ci, il songe à Jean-Pierre Stirbois. L'homme de Dreux va donc assumer le secrétariat général et la direction effective de la campagne présidentielle.

Pour bien montrer la volonté de changer les équipes, Le Pen abandonne la permanence de la rue de Surène, dont le bail arrivait à échéance. Alain Renault et ses militants ouvertement fascistes, qui monopolisaient de fait l'ancien local, sont par là écartés au profit de Jean-Pierre Stirbois et de ses hommes, un peu moins marqués. Ces derniers s'installent dans les nouveaux locaux du 11 rue de Bernouilli. C'est le siège officiel du Comité Le Pen.

Jean-Pierre Stirbois a trente-quatre ans. Il est un ancien de toutes les luttes nationalistes depuis les années soixante : *OAS Métropole*, campagne Tixier-Vignancour, *Jeune Révolution*, puis le solidarisme. Et c'est à Jean-Pierre Stirbois que Jean-Marie Le Pen demande de faire le ménage afin de chasser les « reliquats fascisants » du Front National. Alain Renault, les disciples de François Duprat, l'équipe de *Militant* (proches de Pierre Bousquet) sont plus ou moins délicatement invités à partir. On leur fait comprendre que le Front National est un parti voulant jouer le jeu de la légalité, qu'il ne saurait dès lors accueillir plus longtemps des groupuscules activistes et voyants. Si ces derniers partagent nombre d'options du Front National, le Front National ne veut cependant pas qu'on l'assimile à ces « amis » encombrants.

Certains partent, d'autres rentrent, la nature ayant horreur du vide. Ainsi François Brigneau se rallie-t-il définitivement à « son ami Jean-Marie ». L'écrivain collaborationniste Roland Gaucher suit le mouvement, ainsi que l'ancien député UNR d'Alger Philippe Marçais, le colonel Argoud, le colonel de Blignières et l'amiral Vivier.

La loi électorale a changé entre temps. Sur proposition de Jean Lecanuet, et pour éviter les candidatures multiples et fantaisistes à la fonction suprême, il convient de recueillir désormais cinq cents signatures d'élus locaux réparties sur un minimum de trente départements.

La campagne est difficile. A l'automne 1980, un attentat contre la synagogue de la rue Copernic a lieu à Paris.

L'émoi est vif dans la population et l'extrême droite est désignée par tous les médias comme le coupable (plus tard, on apprendra la responsabilité du terrorisme arabe). La candidature de Jean-Marie Le Pen s'apparente dans ce contexte au summum de la provocation. De nombreux élus font savoir qu'il est indésirable dans leur commune, afin d'éviter les troubles éventuels à l'ordre public. Les militants du Front National crient au « terrorisme intellectuel », ce qui ne change rien.

Finalement, Jean-Marie Le Pen, incapable de recueillir plus de quatre cent trente-quatre signatures, doit renoncer à la course à la Présidence. Afin de se venger de Valéry Giscard d'Estaing et de Jacques Chirac, qui ont fait pression pour empêcher quelques deux cents élus de la majorité d'apporter leur aval au président du Front National, et malgré les risques de voir élu François Mitterrand, Jean-Marie Le Pen appelle en représailles ses électeurs à s'abstenir, à « voter Jeanne d'Arc ».

Après un premier tour caractérisé par l'affrontement fratricide de Jacques Chirac (16 %) et de Valéry Giscard d'Estaing (28 %), François Mitterrand, qui n'avait pourtant réuni que 26 % des suffrages, est élu Président de la République le soir du 10 mai 1981, avec une assez large avance sur le Président sortant.

Il décide de dissoudre l'Assemblée Nationale afin de disposer d'une majorité de gouvernement. Aux élections législatives du 14 juin, qui voient le triomphe du Parti Socialiste et la déroute de la coalition de droite, la défaite est une fois de plus totale pour le Front National. Ses quatre-vingt candidats, sous l'étiquette *Rassemblement pour les Libertés et la Patrie*, ne récoltent que le score fantomatique de 0,18 % des voix. Et même Jean-Marie Le Pen, face au RPR Bernard Pons dans le XVIIe arrondissement de Paris, n'arrive pas à franchir la barre fatidique des 5 %.

L'avenir semble sombre pour le Front National qui, au bout de près de dix années d'existence, n'a toujours pas réussi la percée qu'il appelle de ses vœux.

Le parti est exposé fin 1981 à des difficultés financières de plus en plus pesantes. Le Front National n'intéresse pas les Français qui, dans leur immense majorité, ne le connaissent même pas. S'ils se rappellent vaguement l'homme au bandeau, ils sont incapables de formuler la nature de ses idées. Tout ce que savent les plus informés, c'est que Jean-Marie Le Pen et le Front National naviguent à l'extrême droite et ne représentent guère que moins de 1 % des suffrages. Donc apparemment rien de troublant à l'horizon.

CHAPITRE DEUX
L'ENVOL (1982-1988)

L'arrivée de la gauche au pouvoir va incarner, paradoxalement, une chance inouïe pour Jean-Marie Le Pen et son parti.

C'est précisément cette gauche, et en premier lieu le Président de la République, François Mitterrand, qui va orchestrer indirectement la publicité du Front National.

Nous savons désormais comment l'opération a été menée depuis l'Elysée. Il fut demandé aux patrons de chaînes télévisées d'inviter régulièrement Jean-Marie Le Pen dans l'unique but, non pas de satisfaire les exigences de la démocratie pluraliste, ce qui était la raison officielle avancée, mais de diviser l'adversaire RPR-UDF en lui plantant une sérieuse épine dans le pied.

Il serait absurde de prétendre, comme certains à droite l'ont fait, que François Mitterrand et le Parti Socialiste ont créé le Front National ou sont les responsables uniques de sa percée électorale. Si le parti de Jean-Marie Le Pen s'est développé, les causes sont avant tout à rechercher dans l'émergence de circonstances sociologiques, politiques et idéologiques propices. Le rôle du Président de la République et de ses relais de transmission fut néanmoins effectif et bien réel.

Il est incontestable que les socialistes ont dans un premier temps favorisé la diffusion médiatique auprès du grand public de son idéologie, puis, dans un second temps, se sont servis de l'éclosion du Front National pour gêner l'opposition parlementaire de l'époque et retrouver dans la lutte anti Front National une nouvelle cohésion idéologique.

Pierre Bérégovoy ira même en 1982 jusqu'à déclarer ouvertement : *« On a tout intérêt à pousser le Front National, il rend la droite inéligible. Plus il sera fort, plus on sera imbattable. C'est la chance historique des socialistes »*.

Cependant, comme le dit le proverbe : *« On ne soupe pas avec le diable même avec une longue cuiller »*... Le résultat, à partir de 1982, a été un essor continu de la structure et des idées du Front National, qu'il a été impossible par la suite de réduire, malgré les multiples stratégies employées.

L'effet Stirbois : le « tonnerre de Dreux »

Jean-Pierre Stirbois, dont Jean-Marie Le Pen a apprécié le professionnalisme lors de la campagne avortée des présidentielles, est récompensé par une nomination au poste de secrétaire général du Front National.

Il devient donc, à trente-six ans, le numéro deux du parti. Sa mission : redresser la situation du Front National après la déconfiture des législatives de 1981. Pour cela, Jean-Pierre Stirbois compte s'appuyer sur les quelques dix mille adhérents et sympathisants recensés par le Comité Le Pen.

Il va travailler de conserve avec son compère Michel Collinot qui, pour la rentrée d'automne, a l'idée de lancer une grande fête populaire, une contre-Fête de l'Humanité. Ainsi, le 13 septembre 1981 a lieu dans les Yvelines, dans la vallée de Chevreuse, la première édition des *Bleu Blanc Rouge*, surnommée BBR par les frontistes.

En dépit d'une entrée payante (les meetings de Jean-Marie Le Pen comportent un droit d'entrée relativement élevé, à l'instar de ceux du mouvement rexiste dans l'entre-deux-guerres ; Léon Degrelle revendiquera publiquement, peut-être un peu abusivement, la paternité de cette idée), c'est un succès. Près de trois mille personnes, selon le journal *Le Monde,* visitent la manifestation. L'ambiance est très marquée à droite et il est difficile de se poser des questions à ce sujet. Outre les chansons musclées de Jean-Pax Méfret, une messe selon le rite traditionaliste de Saint-Pie V est dite par Monseigneur Ducaud-Bourget (un proche de Monseigneur Lefèbvre, qui a activement participé à l'occupation forcée de l'église Saint-Nicolas du Chardonnet quelques années auparavant, en janvier 1977). Notons d'ailleurs, et nous y reviendrons, que Jean-Marie Le Pen, depuis la fin des années soixante-dix, s'est ouvertement rapproché des catholiques ultras ou intégristes. Ceux-ci contribueront, en échange de postes de cadres, à renforcer d'une manière non négligeable les rangs du Front National, en particulier dans les départements les moins perméables à l'idéologie lepéniste. Le poids des catholiques militants ira croissant au sein de l'appareil du parti sous l'égide de Bernard Antony, dit « Romain Marie ». Surnommé l'« ayatollah cassoulet », en raison de ses convictions religieuses solidement ancrées et de ses origines toulousaines, Bernard Antony deviendra au début des années quatre-vingt-dix l'un des personnages les plus puissants et incontournables du Front National, grâce en particulier à l'appui du quotidien catholique et nationaliste *Présent* ainsi qu'à un travail de fond indéniable.

Les efforts de l'équipe de Jean-Pierre Stirbois, en dépit d'un état financier alarmant, semblent commencer à porter leurs fruits à partir du mois de mars 1982, lors de cantonales. La petite soixantaine de candidats présentés, à la surprise générale, se défendent plutôt bien puisque leur moyenne électorale avoisine les 5 % avec des pointes à plus de 10 % à Dreux-Ouest et Est, à Dunkerque et en Isère. Signe du frémissement, le 20 février plus d'un millier de sympathisants répondent à un appel de Jean-Marie Le Pen et se rendent à l'Arc de Triomphe pour manifester contre le terrorisme séparatiste corse.

Ces premiers succès sont-ils dus aux actions de la nouvelle direction du Front National ? Peut-être, mais pas seulement. L'explication tient surtout à la radicalisation d'une frange de l'électorat du RPR et de l'UDF, affolée par l'alliance de gouvernement entre les socialistes et les communistes. Le discours sécuritaire du Front National, son programme nationaliste et économiquement libéral semble parfaitement adapté à l'aile ultra-conservatrice de la nouvelle opposition.

Le terrain pour le Front National est particulièrement propice. Le RPR et l'UDF ne se sont pas encore remis de leur défaite, et la création d'une mouvance résolument droitière et anti-marxiste par Charles Pasqua au sein de ces partis a été condamnée sans appel par Bernard Pons et les gaullistes libéraux.

Les 7, 8 et 9 mai 1982, le Front National célèbre ses dix ans d'existence lors de son sixième congrès, au Palais des Congrès de la Porte Maillot. Ce congrès est boudé par la presse, et particulièrement par les journaux télévisés.

Et c'est ce boycott qui va être à l'origine de la percée médiatique de Jean-Marie Le Pen !

L'histoire, aujourd'hui parfaitement connue, a très bien été racontée par Emmanuel Faux, Thomas Legrand et Gilles Perez dans leur ouvrage *La main droite de Dieu* qui s'efforce de recenser l'ensemble des liens (nombreux) de François Mitterrand avec l'extrême droite.

Vexé de ce blocus médiatique, prétextant le pluralisme démocratique devant régner sur les ondes prôné tant par le Parti Socialiste que par le candidat François Mitterrand, Jean-Marie Le Pen s'adresse alors à son vieil ami de l'UNEF, le socialiste Guy Penne, chargé de mission à l'Elysée pour les affaires africaines. Il lui transmet le 26 mai une lettre pour le Président de la République. La missive demande au Président d'intervenir en sa faveur auprès des responsables de télévision (les chaînes étaient encore sous le contrôle direct du pouvoir).

Sur les conseils de son éminence grise, l'auvergnat Michel Charasse, François Mitterrand prend sa plume dès le 22 juin, pour répondre ainsi à la requête de Jean-Marie Le Pen : « *Il est regrettable que le congrès d'un parti politique soit ignoré par la radio-télévision. Elle ne saurait méconnaître l'obligation de pluralisme qui lui incombe. L'incident que vous me signalez ne devrait donc plus se reproduire. Mais d'ores et déjà, je demande à monsieur le ministre de la Communication d'appeler l'attention des responsables des sociétés de radio-télévision sur le manquement dont vous m'avez saisi».* Et Georges Fillioud de demander alors aux présidents de TF1, Antenne 2 et FR3 d'agir très vite en ce sens. L'effet boomerang suit.

Dès le 29 juin, pour la première fois depuis fort longtemps, Jean-Marie Le Pen est l'invité du journal télévisé, même si cette fois c'est « seulement » celui de 23 heures. La seconde fête des Bleu Blanc Rouge des 18 et 19 septembre est largement couverte par la presse. Déjà, le 7 septembre un sujet sur le Front National était diffusé au Journal Télévisé de 13 heures sur TF1 ; le 19, c'est au tour d'Antenne 2 de retracer le succès populaire des BBR, avec leurs plus de vingt mille visiteurs.

Ravi de sa percée médiatique, Jean-Marie Le Pen entend faire des prochaines élections municipales, attendues comme désastreuses pour la gauche, un tremplin en vue des législatives de 1986. Les *Assises Nationales pour la Victoire de l'Opposition Nationale aux Municipales* ont lieu à Nice, les 30 et 31 octobre, grâce à la bienveillante neutralité de son maire, Jacques Médecin, dont l'appui officiel fut un moment très sérieusement envisagé.

Devant plus de deux mille participants, lors d'un meeting au Théatre de Verdure, Jean-Marie Le Pen annonce la multiplication des listes frontistes aux prochaines élections municipales, avec comme point d'orgue sa candidature à Paris, dans le XXe arrondissement. Enhardi par la nouvelle réforme électorale votée par les socialistes afin (grâce à la proportionnelle, savamment mélangée au scrutin majoritaire) de représenter les minorités, il martèle son programme avec pour slogan : *« Immigration, insécurité, chômage, fiscalisme, laxisme moral, ras le bol!».* S'adressant à ceux qui dénoncent, à droite, son extrémisme, il leur rétorque par avance : *« Il ne s'agit pas de s'aligner sur des positions moyennes... Nous ne serons pas les harkis de l'opposition chiraco-giscardienne ».*

Les élections vont constituer un relatif succès pour Jean-

Marie Le Pen et ses amis. Préférant ne pas multiplier les listes et concentrer les efforts du Front National dans des circonscriptions « favorables », c'est à dire populaires à forte proportion d'immigrés, Paris et Dreux sont privilégiées.

A Paris, l'action se concentre sur trois arrondissements : les XVIIIe, XIXe et XXe. Peu de grandes réunions sont organisées. La proximité et le terrain sont un leitmotiv, sur les conseils de Michel Collinot, coordonnateur de la campagne dans la capitale.

Et voilà un succès personnel pour Jean-Marie Le Pen. En effet, le 6 mars 1983, il rassemble près de sept mille voix et 11,3 % des suffrages. Il peut se maintenir au second tour. Pour *Libération* c'est « La percée Le Pen », *Le Parisien*, inquiet signe « *C'est un signal d'alarme* », tandis que *Le Monde* très laconique, analyse : « *Immigration, insécurité, chômage, fiscalisme, laxisme, la campagne de Monsieur Le Pen tenait en ces cinq mots. Ils ont fait mouche* ».

Le président du Front National explique son succès par une formule simple qu'il va dès lors cultiver à l'envi : « *Le Pen dit tout haut ce que tout le monde pense tout bas* ».

Un second tour doit être organisé, le radical-chiraquien Didier Bariani n'ayant pas atteint la majorité absolue. Malgré l'appui discret de militants giscardiens et écologistes dans l'entre-deux-tours, le soir du 13 mars n'est pas un jour faste pour le président du Front National. Avec 9 % des suffrages, il a perdu des voix et ne peut entrer au Conseil de Paris.

Il doit se contenter d'un mandat de simple conseiller d'arrondissement, qu'il désertera très vite au prétexte qu'on lui refuse une permanence.

En dépit de cette déconvenue, Jean-Marie Le Pen et le Front National considèrent, non sans raison, cette élection parisienne comme un événement fondateur. Ceci semble exact, et d'autant plus vrai si on le rapproche de l'autre événement fondateur, le principal, le choc provoqué à Dreux par Jean-Pierre Stirbois.

Dreux est une ville moyenne dont la sociologie est potentiellement favorable à la dialectique lepéniste, avec 10 % de chômeurs et plus de 20 % d'immigrés. Les élections municipales de juin qui ont vu le maire sortant, Françoise Gaspard, sauver son siège de huit voix ont été cassées et le maire invalidé. Jean-Pierre Stirbois, implanté à Dreux depuis 1979, décide de « mettre le paquet » sur cette élection.

Après une campagne estivale menée au pas de charge, il présente une liste Front National qui le soir du premier tour, le 4 septembre, obtient près de 17 % des voix. C'est un séisme pour la classe politique et médiatique.

Jean-Pierre Stirbois se retrouve en position d'arbitre puisque le socialiste (41 % des voix) talonne le candidat RPR, Jean Hieaux, qui, fort de ses 42 %, espère bien conquérir la mairie. Des tractations – au plan local entre Jean-Pierre Stirbois et Jean Hieaux – se déroulaient depuis plusieurs jours, et Jean Hieaux accepte donc très rapidement la proposition faite par Jean-Pierre Stirbois de fusionner les listes.

Quelques voix s'élèvent, comme celles de Pierre Méhaignerie, président du Centre des Démocrates Sociaux, ou de Simone Veil qui déclare : « si je devais voter, je m'abstiendrais au second tour ». Les principaux responsables nationaux RPR et UDF (en particulier ceux du Parti Républicain) se montrent favorables à cette alliance « pour battre l'adversaire socialo-communiste ».

Au second tour, Jean Hieaux et Jean-Pierre Stirbois gagnent les élections avec plus de 55 % des suffrages.

Le tintamarre médiatique que suscite ce scrutin va, pendant plusieurs semaines, faire réfléchir l'état-major du RPR. Que faire ? Il décide finalement de reculer par rapport à sa très pragmatique position antérieure. Le secrétaire général du RPR, Bernard Pons, affirme pour clore le débat que l'accord est un accord purement local qui n'engage en aucune façon les instances nationales du parti gaulliste. Ainsi, lors d'une élection partielle en novembre 1983, dans la banlieue « rouge » d'Aulnay-sous-Bois, le RPR-UDF refuse-t-il la fusion avec le candidat frontiste qui, avec seulement 10 % des suffrages, n'est pas comme Jean-Pierre Stirbois en position d'arbitre, puisqu'il ne peut se maintenir au second tour.

L'effet Le Pen : l'Heure de Vérité

Jean-Marie Le Pen trouve l'occasion de rebondir et de mettre à nouveau le Front National sous les feux de l'actualité en décembre 1983.

L'ancien ministre et député Christian Bonnet, tenté par le calme et les lambris du Sénat, bâton de maréchal de l'élu local, provoque par sa démission une législative partielle dans la circonscription bretonne d'Auray dans le Morbihan. Jean-Marie Le Pen, dont c'est la terre natale puisque cette circonscription comprend son fief de La Trinité-sur-Mer, décide de se présenter. Il choisit pour suppléant l'ancien champion de France de moto, Yann Cadoret, gravement handicapé à la suite d'un accident, et ami de l'une de ses filles.

Les résultats du premier tour le 11 décembre, même s'ils sont bons, ne cadrent pas avec les attentes du président du Front National. Seulement 12 % des voix. Il ne peut se maintenir au second tour. Pour se consoler, il peut dire qu'il a fait mentir le proverbe « nul n'est prophète en son pays » car il a réuni 28 % des suffrages sur le canton de Quiberon et rassemble 51 %, soit la majorité, à La Trinité dont il est originaire.

Si 1983 est l'année qui a vu émerger le Front National, 1984, avec son passage à l'Heure de Vérité, puis la campagne des européennes, devient sur le plan politique une année capitale pour Le Pen.

Des élections européennes sont programmées pour le mois de juin 1984. Le scrutin proportionnel paraît très favorable sur le papier aux petites formations. Jean-Marie Le Pen décide donc de lancer très tôt sa campagne, afin de mieux faire connaître son mouvement aux Français. Antenne 2 et le journaliste François-Henri de Virieu vont grandement l'y aider.

Au début de l'année 1984, la cote de confiance de Jean-Marie Le Pen flirte avec un sommet qu'elle n'avait jamais atteint. Révélé par les médias et les dernières élections, son nom apparaît dans le baromètre *Sofres-Figaro Magazine* avec une estimation de 12 % d'opinions favorables. On est désormais loin de la marginalité et des 1 % d'il y a encore quelques mois.

A la suite des recommandations élyséennes – ainsi qu'en raison de son importance grandissante dans la vie politique – François-Henri de Virieu, outrepassant les réticences du conseil d'administration d'Antenne 2, décide de convier le 13 février 1984 le président du Front National à l'émission vedette qu'il anime, l'Heure de Vérité. Le programme est retransmis en direct et oppose pendant une heure et demie un homme public aux questions de l'animateur et de trois journalistes. C'est le « top » au hit-parade des rendez-vous politiques de l'époque. Un passage à l'Heure de Vérité vaut consécration au rang national pour l'invité. L'Heure de Vérité est alors la plus courue des émissions, les hommes politiques de tous bords font des pieds et des mains pour y participer.

L'invitation est une aubaine.

L'émission débute dans un climat très tendu. François-Henri de Virieu et les journalistes dissèquent les contradictions de Jean-Marie Le Pen. Cependant celui-ci, qui s'est préparé avec soin, tâche de présenter un profil calme, voire serein, d'homme politique classique et responsable. Il n'hésite tout de même pas à demander une minute de silence en mémoire des morts du goulag communiste. La salle, majoritairement composée de ses invités, lui est acquise. Elle se lève, laissant les journalistes perplexes.

L'émission, suivie par plusieurs millions de téléspectateurs, sera un succès personnel pour Le Pen, puisqu'après avoir exposé ses idées sur l'immigration, l'économie et les institutions, un premier sondage de la Sofres fait passer les intentions de vote en sa faveur à 7 %, le double de la précédente estimation. Son rôle d'homme de premier plan est reconnu par la classe politique. Ainsi Claude Labbé, président du groupe RPR à l'Assemblée Nationale, déclare amèrement : « *nous disons qu'il faudra compter et coexister avec lui parce qu'il correspond à une réalité* » et le général Bigeard, député UDF : « *il s'en est parfaitement sorti. Avec sincérité et bon sens* ». Pour Pierre Poujade, brouillé depuis des années avec Jean-Marie Le Pen et proche alors de François Mitterrand : « *Le Pen a trouvé l'occasion de faire des bulles et il en profite* ».

Le choc des européennes de 1984

La campagne européenne est lancée. Le Front National présente une liste de Front d'Oppositon Nationale pour l'Europe des Patries.

L'effet « Heure de Vérité » s'est fait sentir dès le lendemain du 13 février. Le local de la rue de Bernouilli est littéralement assiégé par une foule de nouveaux adhérents, près de mille en trois jours. Parmi ceux-ci on compte de futurs dirigeants du Front National : Bernard Antony-« Romain Marie », responsable des très traditionalistes *comités Chrétienté-Solidarité* (l'association qui organise le pèlerinage de Chartres), l'expert-comptable Pierre Descaves (qui manquera de peu, en 1995, d'arracher la mairie de Noyon) ou Bruno Gollnisch, universitaire, doyen de la faculté des langues de Lyon (en novembre 1995, il sera nommé secrétaire général du parti lepéniste).

La campagne reste très militante. De nombreuses réunions publiques sont programmées, ainsi qu'une tournée de Jean-Marie Le Pen en province. Encore une fois, Jean-Marie Le Pen fait l'objet d'une vaste couverture médiatique, grâce, et c'est le paradoxe, à ses ennemis. Partout, de violentes contre-manifestations sont organisées. Cela tourne parfois à l'affrontement physique entre services d'ordre et CRS, devant les objectifs des caméras de télévision. Avec pour effet principal de faire parler du Front National et de son président, et surtout de présenter ce dernier comme victime de l'intolérance et d'un acharnement sans pareil. Ce qui l'aide à promouvoir le message *« je dis tout haut ce que vous pensez tout bas »* auprès d'un électorat guère rompu à la dialectique, ses affiches martelant : *« Les idées que je défends ? Les vôtres »*.

Face aux listes socialistes et RPR-UDF (conduite par son ennemie intime, Simone Veil), Jean-Marie Le Pen choisit donc de jouer la carte du professionnalisme et de la respectabilité. La direction de la campagne n'est pas confiée à Jean-Pierre Stirbois – peut-être en raison de son passé solidariste, peut-être aussi, disent les mauvaises langues, en raison de ses trop grands succès électoraux – mais à un nouveau venu au bureau politique, Jean-Marie Le Chevallier.

Jean-Marie Le Chevallier est un ex-notable du giscardisme. Ancien directeur de cabinet de Jacques Dominati (le représentant de Valéry Giscard d'Estaing sur Paris), par son passé et son calme bonhomme, il tranche avec l'image « extrême » d'une grande partie de l'entourage du président du Front National. Séduit par la personnalité et le charisme de l'autre Jean-Marie, Jean-Marie Le Chevallier a franchi sans hésiter le pas depuis quelques mois, pour devenir auprès de Jean-Marie Le Pen un fidèle d'entre les fidèles. Pour le président du Front National, c'est évidemment un avantage d'avoir à ses côtés une tête de pont potentielle en direction de la droite institutionnelle.

On change également de locaux. Pour cette campagne, le quartier général se situera dans un appartement de sept petites pièces du XVIIe arrondissement (rue de Courcelles), et non plus rue de Bernouilli. La gestion en est confiée à un des proches de Jean-Marie Le Pen, Bernard Mamy, rappelé pour cette occasion.

La liste est placée sous le signe de la notabilité et de l'ouverture. Derrière Jean-Marie Le Pen figure, de manière ostensible, un grand résistant et compagnon de la Libération, Michel de Camaret.

En troisième position seulement, le secrétaire général du

Front National, Jean-Pierre Stirbois. En quatrième place, Gustave Pordea, émigré roumain inconnu qui a, semble-t-il, amené grâce à la secte Moon une partie du financement de la liste (les co-listiers doivent en effet amener l'argent nécessaire à la campagne en proportion avec leur rang et leur éligibilité, principe dont Jean-Marie Le Pen ne démordra pas en 1989 et 1994). Puis Olivier d'Ormesson, député européen sortant et membre influent du CNI; Bernard Antony; Dominique Chaboche; la collaboratrice de Jean-Marie Le Pen, Martine Lehideux, aujourd'hui responsable du Front National sur Paris et présidente-fondatrice du Cercle des Femmes d'Europe; Michel Collinot; Roland Gaucher; un ancien parlementaire CNI, Gilbert Devèze; Roger Holeindre et, en quatorzième position, un ancien député arabe d'Alger.

Un comité de soutien « flatteur » est également constitué pour embellir la vitrine. A côté des fidèles, Jean-François Chiappe et Michel de Saint-Pierre, se retrouvent de nouveaux venus : l'ancien député de Paris Jean Dides, le député de la Réunion Jean Fontaine, le champion olympique Pierre Jonquères d'Oriola, et de grands noms de l'aristocratie française tels Marguerite de Mac Mahon, duchesse de Magenta (descendante directe du Président de la République de l'« ordre moral »), le prince Sixte-Henri de Bourbon-Parme, le prince Roland de Lusignan ou le prince Armand de Polignac.

Lors du meeting parisien de clôture de la campagne, peu rancunier, Jean-Louis Tixier-Vignancour vient se ranger derrière son ancien directeur de campagne afin de lui manifester officiellement son appui, saluant ainsi implicitement la réussite de Jean-Marie Le Pen comme leader incontesté du mouvement nationaliste.

Le soir du 17 juin, c'est la liesse à Montretout et le choc dans la classe politique comme dans les médias.

La liste Front d'Opposition Nationale pour l'Europe des Patries, avec plus de 2 210 000 voix, obtient 11 % des suffrages exprimés et dix élus.

Avec un résultat équivalent à celui des poujadistes et

double de celui de maître Tixier-Vignancour, ce score inouï fait entrer l'extrême droite dans le paysage institutionnel de la Cinquième République, non sans fracas.

Au Parlement européen, les dix députés frontistes vont siéger avec les cinq députés du MSI de Giorgio Almirante (que Jean-Marie Le Pen détestait pourtant et traitait en privé de « fasciste »), un grec « pro-colonels » de l'EPEN, plus en 1987 un unioniste de l'Ulster (transfuge du groupe conservateur britannique) au sein d'un groupe politique baptisé Groupe des Droites Européennes.

Le groupe est présidé par Jean-Marie Le Pen, compte tenu notamment de la nette prédominance française. La constitution de ce groupe, en réalité, répond plus à une aspiration matérielle qu'idéologique. Les euro-députés ont en effet besoin d'un groupe pour exister sur le plan parlementaire (temps de parole, projets de résolution, dépôt de motions, constitution de commissions), et bénéficier en plus des divers avantages financiers qui s'y rattachent (locaux, frais de secrétariat, missions, voyages d'étude...). Le Groupe des Droites Européennes constituera désormais un appoint financier et logistique non négligeable pour le Front National et les futures campagnes de son président.

Une semaine après le scrutin, les députés européens du Front National, avec à leur tête Jean-Marie Le Pen, se joignent avec des milliers de membres du Front National à la manifestation parisienne du 24 juin en faveur de l'école libre. Bien que séparés, le Front National et l'opposition parlementaire se retrouvent au coude à coude dans la contestation du projet Mauroy-Savary. Cette manifestation, qui a réuni plus d'un million de personnes, a pour conséquence indirecte la démission de Pierre Mauroy de son poste de Premier ministre, et ainsi l'arrêt de la phase « socialiste orthodoxe » du premier septennat de François Mitterrand.

Un événement passe inaperçu durant le mois d'août 1984. Lors d'élections régionales en Corse, le Front National avec pour mot d'ordre *« Corses d'abord, Français toujours »* dépasse les 9 % et un accord local de gestion est conclu avec la droite. Deux élus frontistes sont cooptés dans l'exécutif de la région Corse.

Fin 1984, le moral est au beau fixe pour le Front National. Les ralliements se multiplient, tel celui désormais officiel de Jean Fontaine, député de la Réunion depuis 1968. Les élections partielles confirment alors la poussée des européennes : 13 % à La Celle Saint-Cloud, 20 % à Cagnes-sur-Mer, 21 % à Perpignan (et même 43,6 % au second tour).

Les difficiles cantonales de 1985

Au début de l'année 1985, l'état-major du Front National envisage avec confiance les prochaines cantonales du 10 mars. Même si le mode de scrutin majoritaire leur semble défavorable, les dirigeants du mouvement lepéniste, Jean-Marie Le Pen et Jean-Pierre Stirbois en tête, décident de pointer les fédérations pour chercher des candidats. Ils en débusqueront mille cinq cent vingt et un ; près de cinq cents cantons resteront cependant vierges de candidatures.

Alors que la campagne va démarrer, des « révélations » en rafales sur le passé de Le Pen, en réalité toujours les mêmes accusations qu'il traîne depuis longtemps, sont livrées par plusieurs organes de la presse parisienne.

Le 12 février *Libération* relaie le *Canard Enchaîné* et titre à la une : « *torturés par Le Pen* », le lendemain du lancement sur les ondes d'Antenne 2 par Jean Poperen d'un « *vaste mouvement d'envergure nationale de lutte contre l'extrême droite et le racisme* ». D'autres articles suivent sur l'« affaire Pordea » et sur la question de l'« héritage Lambert », dans le *Matin,* cette fois.

Jean-Marie Le Pen hurle à la machination politique et engage des procédures, qu'il gagnera deux ans plus tard.

C'est dans ce climat agité que se déroulent les cantonales. Le score (8,7 % calculés sur la totalité des cantons alors que le Front National n'est présent que dans les trois quarts de ceux-ci), s'il semble médiocre, témoigne cependant d'une réelle installation du Front National. Les cantonales – des élections de notables – auraient dû être bien plus défavorables au Front National, si l'«effet Le Pen» n'avait été qu'un feu de paille du type mouvement poujadiste en 1956.

Jean-Marie Le Pen, qui a en vue les prochaines législatives, prône le désistement de tous ses candidats en faveur de la droite RPR-UDF-CNI pour «barrer la route à la majorité», à la fureur de Jean-Pierre Stirbois partisan, lui, de représailles envers l'opposition parlementaire. Au second tour, le Front National ne fait élire qu'un seul des siens, Jean Roussel, dans les Bouches-du-Rhône.

Malgré cette «main tendue» au RPR et à l'UDF, l'ensemble de l'opposition est alors en train de clarifier ses positions vis à vis du leader nationaliste. A l'exception de Jean-Claude Gaudin qui déclare : *« Il n'est pas question de désistement. Il peut y avoir éventuellement retrait »*, personne n'a réagi favorablement, à droite, au retrait général décrété par Jean-Marie Le Pen.

Simone Veil fait le siège de ses collègues de la confédération libérale pour éviter toute tractation future, même discrète, avec le Front National. Elle obtiendra apparemment gain de cause. Certains, au Parti Républicain, n'hésiteront pas cependant à militer secrètement si ce n'est en faveur d'une alliance, du moins pour le maintien de contacts.

Au RPR, les choses sont plus nettes. Certains, comme Claude Labbé, sont prêts à la discussion, mais Jacques Chirac, conseillé par Bernard Pons (qui voue une haine féroce à Jean-Marie Le Pen depuis l'époque de l'UNEF) et Jacques Toubon, refuse tout contact direct exclusif avec Jean-Marie Le Pen, malgré l'insistance répétée de plusieurs de ses conseillers et amis.

Jean-Marie Le Pen se souvient aujourd'hui : *« beaucoup de relations communes ont essayé de nous rapprocher, et, les rares fois où j'ai rencontré Jacques Chirac, je me suis trouvé en face d'un homme psychologiquement bloqué, craignant par dessus tout le contact direct et exclusif. Il n'y a jamais eu de tête-à-tête. Il y a toujours eu quelqu'un. Les contacts officiels datent de 1986* (NDA : lors des rencontres du Premier ministre avec les chefs des groupes parlementaires). *Après, il y aura d'autres contacts officieux. Un jour où il m'avait reçu à Matignon, Ulrich n'était pas là* (NDA : Maurice Ulrich était l'un des plus proches conseillers de Jacques Chirac). *Il a dit : "Ulrich, mais où est Ulrich ? Qu'Ulrich vienne !" Visiblement, il ne voulait pas être en tête-à-tête avec moi. De peur, soit que je lui dise quelques vérités solides, soit que je puisse me targuer de dire "il m'a dit cela". Il y a toujours eu un tiers avec nous ».*

Pour Jacques Chirac, le président du Front National représente en effet tout ce qu'il déteste de manière viscérale : l'extrême droite, le nationalisme exacerbé, la xénophobie, l'anti-humanisme... Il est probable que les articles du *Canard Enchaîné* et de *Libération* ne sont pas étrangers à cette clarification qui mettra un point presque final, au moins chez les gaullistes, à la lambada électorale « alliance locale-pas d'alliance nationale ».

L'UDF, quant à elle, dans les années suivantes, adoptera une position plus pragmatique, laissant la décision d'abord à ses différentes composantes, puis aux instances locales : derrière une intransigeance de façade, le réalisme électoral, pourvu que cela reste discret. Le Président Giscard d'Estaing ne dédaignera pas lui-même de faire quelques appels du pied, si ce n'est aux dirigeants du moins aux électeurs (cf. son article sur « le droit du sang » dans le *Figaro Magazine*).

Les législatives de 1986 : l'entrée fracassante au Palais Bourbon

La campagne des législatives de 1986 s'ouvre aussitôt après les cantonales, sur l'initiative de la gauche.

Le Parti Socialiste est quasi-assuré d'essuyer une amère défaite pour ces élections. Il n'a pu, aux cantonales, que réunir difficilement 24,5 % des voix et le Parti Communiste, son allié, 12,6 % alors que, sans compter le Front National, la droite a presque obtenu la majorité absolue des suffrages, avec 49 %. Pour François Mitterrand, si la défaite est certaine, le pire n'est pas encore sûr. Il lui reste une arme. La droite est désormais divisée en deux blocs, le cartel RPR-UDF d'une part et le Front National d'autre part. A l'intérieur même de l'opposition parlementaire, des dissensions existent d'abord entre le RPR et l'UDF puis entre les partisans, en cas de victoire, du rapport de force contre un chef de l'Etat délégitimé (Raymond Barre ou Jean Foyer) et les partisans d'une « cohabitation » institutionnelle sereine (Jacques Chirac et Edouard Balladur, entre autres). Pour le Président de la République et son Premier ministre, Laurent Fabius, le seul moyen de brouiller les cartes est de changer brutalement les règles du jeu en modifiant *ex abrupto* le mode de scrutin.

C'est ainsi que le Conseil des Ministres du 3 avril 1985 décide le remplacement du scrutin uninominal majoritaire à deux tours par la représentation proportionnelle départementale, avec répartition des restes à la plus forte moyenne. De plus, les élections régionales, pour la première fois au suffrage universel direct, seront organisées en même temps que les élections législatives.

Pour Jean-Marie Le Pen et ses amis, le cadeau est royal : au terme d'une bonne campagne le Front National peut être assuré, selon les estimations, de voir un nombre non négligeable de ses élus intégrer le Palais-Bourbon.

Peu dupe des motivations présidentielles (la réduction du RPR et de l'UDF à une simple majorité relative à la Chambre), Jean-Marie Le Pen déclare sur RTL le 14 avril : « *chaque parti se sert des autres pour, comme au billard, peser sur ses adversaires* ».

L'année 1985 et le début 1986 vont donc constituer pour le Front National une période de redéploiement stratégique et de campagne permanente afin d'atteindre la barre fixée un peu hardiment par Jean-Marie Le Pen : 15 % des voix et de cinquante à quatre-vingt députés.

Le Front National, conscient de sa mauvaise image alors

que son potentiel électoral est fort, décide, sous l'impulsion de son président et de Jean-Pierre Stirbois, de persévérer dans sa stratégie de notabilisation et de respectabilité. Plutôt que de présenter des listes composées des seuls militants et de vieux briscards de l'extrême droite, l'état-major préfère rassembler au-delà de la stricte obédience du Front National. Ceci paraît d'autant plus nécessaire que les dernières élections ont prouvé que le Front National, même si nombre de ses thèmes et de ses cadres en sont issus, n'est plus cantonné, par ses résultats et son électorat, à la seule extrême droite.

Drapés économiquement et politiquement dans la cape du renouveau conservateur du début des années quatre-vingt, sur beaucoup d'aspects, les accents de Jean-Marie Le Pen et du Front National sont alors, il faut l'avouer, beaucoup plus Reaganiens ou Thatcheriens que «fachos».

Le programme *Pour la France* qui est développé – dans le prolongement de *Droite et Démocratie économique* paru plusieurs années auparavant – est aux antipodes du culte fasciste de l'Etat ou de la troisième voie des groupuscules d'extrême droite inspirés, par exemple, du mouvement Occident.

Anticommuniste primaire (ce que Jean-Marie Le Pen n'a jamais voulu renier), ultra-conservateur sur le plan des valeurs – avec l'obsession du déclin de la cellule familiale occidentale et des enjeux démographiques –, très libéral économiquement, avec une vision capitalistique du marché, la doctrine économique et sociale du Front National est en réalité de l'ultra ultra-conservatisme. Elle pourrait, à certains égards, être qualifiée plus de droite extrême que d'extrême droite, tant le vocable «extrême droite» est un fourre-tout, à vrai dire peu signifiant sur le plan de l'analyse scientifique.

Bien entendu, les intéressés (Jean-Marie Le Pen et le Front National) ont toujours vivement récusé les termes d'«extrême droite» ou de «droite extrême» dans lesquels on veut selon eux les *enfermer pour mieux prononcer l'ana-*

thème» et les marginaliser. Ils se définissent eux-mêmes comme des «nationaux» ou des «nationalistes».

Cependant, eu égard notamment à leurs idées ainsi qu'à leur positionnement «à droite de la droite», nous continuerons à employer souvent dans cet ouvrage le terme «extrême droite», très parlant et commode pour le lecteur, tout en ayant conscience de sa relative imperfection.

La pêche aux notables et aux alliés commence donc dès l'été 1985. Si, en raison des attaques de *Libération* elle ne peut être qualifiée de «miraculeuse», elle ne va pas sans réussites. Le Front National, qui a choisi de se présenter aux législatives sous l'étiquette moins partisane de *Rassemblement National*, peut compter à la fin de l'année sur un certain nombre de ralliements de poids.

Au Parti Républicain, Jean-Yves Le Gallou, membre du bureau politique, franchit le pas. C'est avant tout un idéologue, personnellement très proche d'Alain Madelin. Il est, par le Club de l'Horloge dont il est un des membres fondateurs, l'inventeur de la «préférence nationale».

Le *Centre National des Indépendants et paysans* (CNI), le vieux parti d'Antoine Pinay présidé par Philippe Malaud, fournit très officiellement nombre de ses cadres: Yvon Briant, futur président du CNI décédé lors d'un accident d'avion en Corse, en août 1992, alors qu'il faisait campagne pour le «Oui» à Maastricht; Pierre Sergent, l'ancien responsable de l'OAS-Métropole qui «ne regrette rien» de son passé; Michel de Rostolan, président du droitier et mondain Cercle Renaissance; et Edouard Frédéric-Dupont (élu pour la première fois à la Chambre en 1936, figure historique du Paris politique récemment disparue).

Le RPR n'est pas épargné par l'hémorragie, avec la fracassante arrivée de celui qui va très vite devenir le rival de Jean-Pierre Stirbois, puis le numéro deux du Front National, Bruno Mégret. Ancien candidat gaulliste malchanceux contre Michel Rocard dans les Yvelines aux législatives de juin 1981, Bruno Mégret est le président des Comités d'Action Républicaine (CAR), organisation plus ou moins proche du RPR à destination des cadres moyens et des milieux socio-professionnels. Bruno Chauvierre, candidat RPR contre Pierre Mauroy à Lille aux élections municipales de 1983, le rejoint.

D'autres personnalités non « encartées » gagnent aussi les rives du Front National pour se présenter sur ses listes, assurées il est vrai à l'avance – du fait du mode de scrutin – de l'élection dans bon nombre de départements : le docteur François Bachelot, fondateur de l'*Assemblée Permanente des Chambres de Professions Libérales*, ancien RPR membre fondateur du *Club 89* ; François Porteu de la Morandière, ancien président de l'*Union Nationale des Combattants* ; Pierre Ceyrac, neveu de l'ancien président du CNPF et représentant de la secte Moon en France ; l'universitaire Jean-Claude Martinez, bouillant fiscaliste qui compte bien, si le Front National arrivait un jour au pouvoir, réduire à néant l'impôt sur le revenu.

Comme il semble désormais de tradition, c'est à l'occasion de la future échéance électorale que de nouveaux locaux sont trouvés. A l'appartement de la rue de Courcelles succède un hôtel particulier de standing sis au 8 rue du Général Clergerie, dans le XVIᵉ arrondissement. Les locaux « historiques » de la rue de Bernouilli resteront à disposition des cadres du parti, mais ils vont être de plus en plus affectés à la fédération parisienne du Front National.

Le climat de début de campagne est tendu.

En Nouvelle-Calédonie, l'ambiance est électrique, à la veille d'élections opposant indépendantistes du FNLKS et loyalistes RPCR. Le Front National, grâce à sa branche locale, le *Front Calédonien*, fera son entrée sur la scène politique d'Outre-Mer, avec 15 % des voix à Nouméa.

La tournée des meetings de soutien de Jean-Marie Le Pen aux candidats du Rassemblement National-Front National a lieu juste après la fête des Bleu Blanc Rouge du 20 octobre. La réunion est marquée par une polémique née des attaques verbales malheureuses (pour ne pas dire plus) de Jean-Marie Le Pen contre quatre journalistes juifs et les chefs du RPR et de l'UDF.

Le 16 octobre, lors de sa deuxième Heure de Vérité, Jean-Marie Le Pen est sur la défensive. Devant dix-sept millions de téléspectateurs (record d'audience), il doit répondre à un article du *Monde* paru quelques heures auparavant et signé Jean-Maurice Demarquet. Celui-ci, vieux complice du temps de Poujade et de l'Algérie française (tous deux, alors députés, étaient partis rejoindre l'armée sous le commandement du Général Massu) – pour des raisons obscures de refus d'investiture, avanceront certains – accuse publiquement Jean-Marie Le Pen d'antisémitisme, laisse planer un doute sur les tortures en Algérie et réveille la polémique sur l'affaire Hubert Lambert. Jean-Marie Le Pen, qui nie tout en bloc, doit passer, à sa grande fureur, une grande partie du temps de l'émission à tenter de se justifier. A la fin de l'émission il peut repartir néanmoins d'assez bonne humeur, puisque, selon le sondage express Sofres, 40 % des téléspectateurs pensent qu'il est victime d'une machination et 40 % restent sceptiques. Verre à moitié vide ou à moitié plein...

Quelques jours après, le Front National tient son septième congrès à Versailles. Le temps s'éclaircit pour les frontistes. Quelques jours plus tôt en Haute-Savoie, le candidat de la droite extrême a obtenu plus de 22 % des voix à une cantonale partielle. Des ralliements sont annoncés lors de cette réunion : le président de la Cour d'Assises de Paris, le pourtant socialiste André Giresse ; Henri Yrissou, inspecteur des finances et ancien directeur de cabinet d'Antoine Pinay ; et le président Valabregue, ancien vice-président gaulliste de l'Assemblée Nationale. C'est à cette occasion que *Pour la France*, programme électoral axé sur la notion de préférence nationale, est officiellement diffusé pour faire concurrence à la plate-forme RPR-UDF, marquée elle aussi par l'ultra-conservatisme néo-libéral.

Pour la petite histoire, notons que l'un des rédacteurs de l'argumentaire de l'opposition parlementaire RPR-UDF était Yvan Blot, alors bras droit de Charles Pasqua et de Bernard Pons, qui rejoindra en 1989 le Front National, à l'occasion des élections européennes.

Le Front National décide de clôturer sa campagne par une image forte, qu'il veut symbolique et originale. Jean-Marie Le Chevallier est chargé de superviser les *Six Jours de Paris*, six journées, du 1er au 6 mars, organisées à l'héliport de Balard-Issy les Moulineaux, sous la forme d'un salon destiné à faire connaître aux habitants de la capitale les « charmes » du Front National.

Le 16 mars, à vingt heures, les résultats commencent à tomber. Si ce n'est pas le raz de marée escompté, le score reste significatif. Avec 2 800 000 voix et près de 10 % des suffrages exprimés, trente-cinq députés du Rassemblement National entrent, trente ans après les poujadistes, au Palais Bourbon. Le Front National fait jeu égal avec le Parti Communiste.

Le RPR et l'UDF s'en sortent bien puisque, finalement, la majorité absolue est conquise avec deux sièges d'avance. Contrairement aux espérances de Jean-Marie Le Pen, Jacques Chirac – qui a refusé toute rencontre secrète avec le président du Front National –, nouveau Premier ministre, ne deviendra pas l'otage du groupe frontiste.

En revanche, dans les régions, avec cent trente-six conseillers régionaux, le Front National va jouer un rôle d'arbitre. Il vend très cher son appui au RPR et à l'UDF contre des places dans les exécutifs régionaux, comme en Provence-Alpes-Côte d'Azur chez Jean-Claude Gaudin, en Languedoc-Roussillon chez Jacques Blanc ou bien en Haute-Normandie chez Jean Lecanuet.

Les titres de la presse des semaines suivantes font la « Une » sur le séisme politique provoqué par l'entrée du lepénisme à l'Assemblée Nationale.

Les élus frontistes sont :

A Paris : Jean-Marie Le Pen ; Edouard Frédéric-Dupont, simple apparenté Front National, qui devient le doyen de l'Assemblée. Dans les Hauts-de-Seine : Jean-Pierre Stirbois. Dans les Alpes-Maritimes : l'avocat Jacques Peyrat, ami personnel de Jean-Marie Le Pen du temps de la Corpo et de l'Indochine, aujourd'hui séparé du Front National et maire de Nice; Albert Peyron. Dans les Bouches-du-Rhône: l'avocat Ronald Perdomo; le conseiller général Jean Roussel; le journaliste Gabriel Domenech; l'ancien gaulliste Pascal Arrighi. Dans l'Essonne: Michel de Rostolan. Dans le Gard: le diplomate Charles de Chambrun, ancien secrétaire d'Etat. Dans la Gironde: Pierre Sirgue. Dans l'Hérault: l'universitaire Jean-Claude Martinez. Dans l'Isère: Bruno Mégret. Dans la Loire: Guy Le Jaouen. Dans la Moselle: Guy Herlory. Dans le Nord: Christian Baeckroot; Pierre Ceyrac et Bruno Chauvierre. Dans l'Oise: Pierre Descaves. Dans le Pas-de-Calais: François Porteu de la Morandière. Dans les Pyrénées-Orientales: Pierre Sergent. Dans le Bas-Rhin: Robert Spieler. Dans le Haut-Rhin: Gérard Freulet. Dans le Rhône: Bruno Gollnisch et Jean-Pierre Reveau. Dans la Seine-Maritime: Dominique Chaboche. Dans la Seine-et-Marne: Jean-François Jalkh, le benjamin du groupe. Dans la Seine-Saint-Denis: François Bachelot et Roger Holeindre. Dans le Val d'Oise: Yvon Briant. Dans le Val-de-Marne: Jean-Pierre Schénardi. Dans le Var: Yann Piat, filleule spirituelle de Jean-Marie Le Pen qu'elle connaît depuis son enfance. Dans le Vaucluse: Jacques Bompard, aujourd'hui maire d'Orange. Dans les Yvelines: l'avocat personnel de Jean-Marie Le Pen, maître Georges-Paul Wagner.

Le groupe parlementaire s'organise avec à sa présidence Jean-Marie Le Pen; comme vice-présidents: Jean-Pierre Stirbois et Yvon Briant, le nouveau protégé de Jean-Marie Le Pen; secrétaire: Yann Piat; Jean-Pierre Reveau, qui est déjà trésorier du parti, occupe les fonctions de trésorier du groupe.

Dès le 9 avril, Jacques Chirac pose au nom de son gouvernement la question de confiance à la représentation nationale. Bien entendu, l'intégralité de l'UDF et du RPR annoncent qu'ils voteront pour, et le PS contre.

Jean-Marie Le Pen – malgré les avis de nombre de ses députés qui prônent l'abstention tactique, comme Yvon Briant, Bruno Gollnisch, Michel de Rostolan, Pascal Arrighi ou Jean Roussel – décide le « Non », en guise de rétorsion à l'attitude de la droite parlementaire classique.

Seul Edouard Frédéric-Dupont, qui avait prévenu Jean-Marie Le Pen bien avant les élections, a le courage d'aller à l'encontre du président du Front National, en votant pour le Premier ministre qu'il connaît personnellement et apprécie. Jean-Marie Le Pen ne lui en voudra pas, prenant même sa défense contre les jusqu'aux boutistes du Front National qui réclament des sanctions contre le doyen de l'Assemblée Nationale.

Au travers de ce vote, qui n'a eu aucune incidence sur le devenir du gouvernement puisque Jacques Chirac a passé sans encombres l'obstacle, c'est en fait la compétition présidentielle de 1988 qui se profile à l'horizon.

Jean-Marie Le Pen augure mal de l'avenir de Jacques Chirac, englué dans une cohabitation délicate avec un Président de la République dont l'habileté est grande.

Le Pen entend bien doubler le chef du RPR sur sa droite pour mieux, avec le concours involontaire des socialistes, l'étouffer et vider de sa substance, à son profit, l'électorat le plus conservateur de son rival.

A cette fin, durant près de deux ans, le groupe Front National déposera de nombreuses propositions de lois issues de son programme, mettant quelquefois en porte-à-faux les représentants du RPR et de l'UDF avec leurs électeurs, obligés de voter contre le salaire maternel, le rétablissement de la peine de mort ou la préférence nationale pour ne pas mêler leurs voix à celles des élus frontistes, et ainsi les cautionner.

Dès le 29 novembre 1986, le conseil national du Front National réuni à Paris, appelle Jean-Marie Le Pen à *« annoncer au plus vite sa candidature à la Présidence de la République »*.

Cet objectif publiquement déclaré contraint l'ensemble du groupe Front National à une opposition sans concession au gouvernement, même dans les crises opposant ce dernier au Président socialiste. Au surplus, des rivalités personnelles, attisées par l'intransigeance et l'autoritarisme de Jean-Pierre

Stirbois, ont causé le départ forcé de certains élus du groupe : dès le 6 mai Bruno Chauvierre, puis le 2 juillet, Yvon Briant, qui ne peut plus supporter le secrétaire général du Front National (et réciproquement).

Le triomphe des élections présidentielles de 1988

L'année 1987 est essentiellement consacrée à préparer la campagne future ainsi qu'à peaufiner l'image du candidat.

A l'instar de son affiche électorale représentant, derrière la photographie de Jean-Marie Le Pen, une vague déferlante, la campagne est conçue en plusieurs étapes successives allant crescendo afin, début 1988, de balayer les autres candidats de la droite parlementaire. Selon Jean-Marie Le Pen, ils seront trois face à lui : Jacques Chirac, Raymond Barre et François Léotard (bien que tenté le jeune président du Parti Républicain ne franchira pas le Rubicon). Dans ces conditions, il se dit prêt à parier qu'au premier tour personne ne dépassera les 20 % à droite ; tout se jouant à 1 ou 2 % près, l'« outsider » qu'il est espère créer la surprise dans la dernière ligne droite.

Le Pen croit donc apparemment dur comme fer à ses chances de se retrouver au second tour face au candidat de gauche, Michel Rocard. Il pense à ce moment que François Mitterrand ne se représentera pas.

Dans cette optique, Jean-Marie Le Pen désire poursuivre sa stratégie, payante jusque là, de rassemblement. Pour cela, un peu comme au temps des *Comités Tixier-Vignancour*, il décide de confier la campagne à un petit nombre de personnalités regroupées au sein d'un état-major ad hoc, et non au secrétariat général du Front National. Comble de l'humiliation pour Jean-Pierre Stirbois, après avoir pensé un moment au docteur François Bachelot, c'est au nouveau venu Bruno Mégret que le Président du Front National propose le poste de directeur de campagne. L'« horloger » et ancien cadre du RPR s'empresse d'accepter. Le fidèle

Jean-Marie Le Chevallier est chargé de la trésorerie, alors qu'Olivier d'Ormesson se voit propulsé à la tête d'un comité de soutien qu'il a pour mission d'étoffer en personnalités, grâce à son très mondain carnet d'adresses. Se joignent à l'équipe Pierre Durand, Carl Lang, Jacques Tauran et Jean-Pierre Schénardi.

Pour le nouvel état-major, un quartier général est trouvé dans le VIIIe arrondissement, près des Champs-Elysées, au 25 de l'avenue Marceau.

La phase préparatoire à l'entrée en campagne consiste à respectabiliser le candidat, en lui donnant la dimension internationale qui lui fait manifestement défaut.

Initiée en novembre 1986, elle débute à Manille par la rencontre officielle avec la nouvelle Présidente des Philippines, Cory Aquino, symbole de la démocratie triomphante après le terrible épisode Marcos. Viennent ensuite Hong-Kong, la Corée, le Japon (une furtive entrevue avec le Premier ministre Nakasone). Des contacts sont, à cette occasion, établis avec le très puissant Parti Libéral Démocrate.

Début 1987, lors d'une tournée aux Etats-Unis pilotée par Pierre Ceyrac, Jean-Marie Le Pen, invité de la droite conservatrice américaine et des organisations anticommunistes, est présenté lors d'une convention républicaine au Président Ronald Reagan.

C'est la consécration, d'autant que depuis plusieurs années, Le Pen affirme être le « Ronald Reagan français ». La photographie de la poignée de mains entre les deux hommes est alors largement diffusée par le Front National et la presse frontiste. Elle trône en bonne place sur la plaquette de présentation du candidat qui sera adressée aux maires français en vue du parrainage à l'élection présidentielle.

Début avril, Le Pen entame une tournée en Afrique : point d'orgue de ce périple, des entretiens avec Félix Houphouët-Boigny, Président de la Côte d'Ivoire surnommé le « Vieux Sage », et Omar Bongo, Président du Gabon et allié indéfectible de la France. Une visite à Abdou Diouf au Sénégal doit cependant être annulée et la tournée écourtée, en raison de soudaines émeutes au Sénégal.

Après une campagne de tracts virulents sur la réforme du code de la nationalité, les meetings du Front National commencent en France début avril. Dans la capitale, une manifestation à l'américaine regroupant plus de dix mille personnes est organisée au Zénith. On découvre pêle-mêle flonflons, serpentins, drapeaux et lasers. Des personnalités d'envergure y assistent, selon Gilles Bresson et Christian Lionet : le président du CNI, Philippe Malaud, ancien ministre ; le très droitier député du Val-de-Marne, l'UDF Alain Griotteray, qui milite activement depuis longtemps pour une « union des droites » ; le RPR niçois Jacques Médecin. Deux jours après, le succès est renouvelé à Marseille avec près de vingt mille participants, puis à Lyon avec « seulement » huit mille.

De Gaulle a eu son appel du 18 juin à Londres, Jean-Marie Le Pen aura aussi le sien : celui du 26 avril à La Trinité-sur-Mer, son village natal.

De sa maison d'enfance, sous la bouée de son ancien navire, le *Général Cambronne*, et sous la protection de Jeanne d'Arc (sainte qu'il a remise au goût du jour au début des années quatre-vingt, par la reprise tous les mois de mai du défilé rassemblant l'ensemble des chapelles nationalistes d'extrême droite), Jean-Marie Le Pen présente avec solennité et emphase sa candidature.

A la suite de sa déclaration, le président du Front National est le 6 mai 1987, pour la troisième fois, l'invité de l'Heure de Vérité. Une nouvelle fois, une polémique s'en suivra.

Jean-Marie Le Pen, après avoir longuement et « sagement » expliqué son programme, désarçonne soudain l'auditoire en politisant l'enjeu du SIDA. Que s'est-il passé ? Le Pen a été très impressionné, dans les jours qui précédaient l'émission, par une conversation avec le docteur François Bachelot ; celui-ci revient d'un voyage aux Etats-Unis, où ce fléau a pris une ampleur tragique.

Sans l'ombre d'une hésitation – suivant, à ce qu'il semble, les notes de ses conseillers – Jean-Marie Le Pen affirme : « *Le sidaïque en phase terminale est contagieux à partir de sa transpiration, de ses larmes et de sa salive »*, réussissant le soir même à convaincre, selon les sondages express de l'émission, près de 40 % des téléspectateurs !

Le lendemain c'est l'hallali et la révolte dans la classe médiatique, comme chez des médecins spécialistes du virus, de même que chez les politiques.

Michèle Barzach, ministre de la Santé du gouvernement de Jacques Chirac, s'indigne et rétorque : *« Le Pen fait encore plus peur que le SIDA »* (ce qui en fait alors la nouvelle bête noire de Jean-Marie Le Pen et de l'extrême droite, qui ne manqueront jamais une occasion de l'agresser pour sa prétendue légèreté face à la maladie comme ministre en charge du dossier).

Jean-Marie Le Pen, en privé, se rend vite compte qu'il est allé trop loin et, selon ses propres mots, qu'on lui *« a fait dire des conneries »*.

Ce qui ne l'empêche pas de continuer pendant des mois sur le thème du SIDA, dans un registre il est vrai un peu plus mesuré. Il dénonce seulement alors la méconnaissance de l'ampleur du phénomène et l'inadaptation des réponses des pouvoirs publics. Il reviendra sur le thème du SIDA le 17 février 1996, lors de la seconde convention nationale du *Front National de la Jeunesse*, dénonçant la maladie comme un des principaux fléaux qui menacent la jeunesse. A cette occasion, il étonnera son auditoire en parlant de manière longue et très directe de ce qu'il considère comme le principal vecteur de transmission, la sodomie !

Le 14 mai 1987, Michel Noir, alors ministre délégué au Commerce extérieur, publie sa célèbre tribune du *Monde* où il exprime qu'*« il vaut mieux perdre les élections que de perdre son âme en s'alliant avec le Front National »*.

Cette prise de position embarrasse la majorité. Jacques Chirac – pourtant peu suspect de sympathie envers le Front National – réunit une cellule de crise à l'Hôtel de Ville et fait convoquer à son bureau, devant Edouard Balladur et Charles Pasqua, le jeune ministre pour le désavouer. Le geste de Michel Noir peut, selon les conseillers du Premier ministre, coûter cher lors des prochaines élections présidentielles. Pour Jacques Chirac comme pour l'état-major du RPR, les présidentielles ne sont pas considérées comme un combat métaphysique, mais comme un enjeu politique majeur où dominent les rapports de force. Jacques Chirac ajoute néanmoins à l'adresse du futur ex-maire de Lyon : « *sur le fond, je suis tout à fait d'accord avec toi. Mais il ne fallait pas le dire. Chaque fois qu'on attaque Le Pen, on l'aide. Il faut l'ignorer* ».

La campagne, pour le Front National, passe durant l'été à la vitesse supérieure. A l'imitation de la caravane Tixier-Vignancour, une tournée des plages est organisée, sous la houlette de Roger Holeindre (vétéran de 1965, surnommé « Popeye » en raison de son physique trapu et de sa pugnacité).

Jean-Marie Le Pen rejoint les différents sites touristiques du littoral français pour donner meeting. « *Si les Français ne veulent pas venir à lui, il ira donc vers les Français* », selon les dires d'un zélateur de l'époque. La tournée ne remporte pas le succès escompté. L'affluence n'est pas à la hauteur des investissements. Cependant elle est bien couverte au plan médiatique car, l'été, les journaux n'ont rien à se mettre « sous la dent » et suivent donc cet événement.

Tout se passe pour ainsi dire pour le mieux dans le meilleur des mondes possible du lepénisme lorsque l'accident survient, le 13 septembre.

Invité au Grand Jury RTL-*Le Monde*, Jean-Marie Le Pen aborde la question du génocide. C'est la fameuse affaire du « *point de détail* ».

A une question sur les thèses révisionnistes, mises à la mode par les « travaux » de Roques et Faurisson, le président du Front National répond de façon embarrassée et confuse, sans les condamner de la manière la plus ferme, comme pour ne pas s'aliéner la partie la plus extrémiste de son mouvement.

Voici, pour en juger de la manière la plus objective possible, le texte intégral de l'intervention de Le Pen :
« *Je ne connais pas ces thèses. Mais, quelles que soient ces*

*thèses, et quelles que soient celles développées intellectuelle-
ment, je suis partisan de la liberté d'esprit. Je pense que la
vérité a une force extraordinaire qui ne craint pas les menson-
ges ou les insinuations. Par conséquent, je suis hostile à toutes
les formes d'interdiction et de réglementation de la pensée.
Tout ce que nous savons sur l'histoire des guerres nous apprend qu'un certain nombre de faits ont été controversés et
discutés. Je suis un passionné par l'histoire de la seconde
guerre mondiale. Je me pose un certain nombre de questions.
Je ne dis pas que les chambres à gaz n'ont pas existé. Je n'ai
pas pu moi-même en voir. Je n'ai pas étudié spécialement la
question. Mais je crois que c'est un point de détail de l'histoire
de la seconde guerre mondiale ».*

Selon certains de ses proches, peu après l'émission, de
retour à Saint-Cloud, Jean-Marie Le Pen se rend compte
de la gravité de ses paroles et avoue : *« en quarante années de
vie politique, c'est le mot le plus malheureux qui soit sorti de
ma bouche ».*

Dès le lendemain, la réprobation est générale dans le pays.
Elle pointe avec la « Une » du *Monde* : *« Les chambres à gaz ?
"Un point de détail" »*, relayée par les déclarations conver-
gentes de la majorité RPR-UDF comme de l'opposition.

Même des proches de Jean-Marie Le Pen sont atterrés,
sinon révoltés, à l'image des derniers notables ralliés,
Edouard Frédéric-Dupont et Olivier d'Ormesson. Les
deux hommes demandent solennellement à Jean-Marie Le
Pen de s'excuser. Il refuse, préférant s'« expliquer » et
contre-attaquer quatre jours plus tard, lors d'une conférence de presse.

Il argumente alors ainsi : *« ma réponse était claire et pour
des gens de bonne foi ne laissait planer aucun doute sur ce que
je pense du martyr du peuple juif d'Europe et sur la condamnation que je porte sur ce crime... Dans mon esprit, et d'ailleurs dans les dictionnaires "détail" signifie "partie d'un
tout". Or la deuxième guerre mondiale dura six ans, fit plus
de cinquante millions de morts. Chacun de ces éléments, si
meurtrier, si atroce qu'il ait été, fut un élément de cette tra-
gédie humaine ».*

Quoiqu'il en soit de ces explications alambiquées, le mal est fait. Jean-Marie Le Pen chute dans les sondages, et les contacts qu'il avait discrètement noués en Israël, dans l'entourage du général Sharon, en vue d'un voyage officiel dans l'état hébreu, se rompent. Olivier d'Ormesson décide de quitter la présidence du comité de soutien présidentiel ainsi que le Front National.

Il faudra plus de cinq mois pour que la cote de confiance de Jean-Marie Le Pen remonte à son niveau estival, et l'affaire du détail le poursuit toujours aujourd'hui, tant elle confirme aux yeux de beaucoup l'antisémitisme larvé dont on l'a toujours accusé – et dont il s'est toujours défendu avec vigueur. Notons que certains proches n'hésitent pas à se demander si le « détail » fut une simple « gaffe » ou une provocation qui a mal tourné pour son auteur.

Pour remonter son handicap, Jean-Marie Le Pen décide de précipiter le calendrier et de se lancer dans la dernière ligne droite par une déclaration symbolique.

Le 3 novembre, sur le site médiéval du Mont Saint-Michel, il donne le point de départ à une nouvelle tournée militante, dont le point d'orgue sera la convention *Le Pen Président* de Nice des 8, 9, et 10 janvier 1988.

La manifestation niçoise prendra l'allure, avec une débauche de moyens, d'une convention du Parti Républicain ou du Parti Démocrate aux Etats-Unis. Devant plusieurs milliers d'invités en transe, un Jean-Marie Le Pen transfiguré fait son apparition. Amaigri, les cheveux coiffés en arrière, un micro sans fil sous sa cravate qui le libère de ses mouvements, le président du Front National, tel un télévangéliste, martèle son programme en arpentant la scène, dans un décor moderne où lasers et ballons tricolores balaient le ciel.

Il y aura même, pour chauffer la salle, une arrivée particulièrement remarquée de parachutistes !

De nouveaux outils de propagande sont diffusés dans la foulée, comme un petit *Passeport pour la Victoire*.

Conçu par les deux têtes pensantes du mouvement, Bruno Mégret et Jean-Yves Le Gallou, ce livret (au format et à la couleur d'un passeport français) résume à grands traits les arguments du candidat nationaliste. Tiré à cinq cent mille exemplaires et vendu dix francs, ce sera le document le plus marquant de la campagne – avec les affiches représentant Jean-Marie Le Pen en outsider, lors d'une course de tiercé voulant symboliser la course présidentielle.

Les cinq cents signatures nécessaires (six cent une sont effectivement collectées) déposées au Conseil Constitutionnel, il ne reste plus qu'à attendre la fin de la campagne.

Après vingt et un meetings régionaux, le président du Front National achève son tour de France par deux grandes manifestations, l'une le 17 avril au stade vélodrome de Marseille devant près de trente mille participants, l'autre au Zénith à Paris le 21 avril.

La soirée électorale du 24, à la villa de Montretout de Saint-Cloud, s'avère contrastée.

Même si Jean-Marie Le Pen est ébranlé par sa non-conquête du pouvoir (car, à la fin de la campagne, il était persuadé d'arriver en tête de la droite ou tout du moins devant Raymond Barre), il n'en savoure pas moins très vite ce qu'il considère comme sa victoire personnelle. Avec 4 300 000 voix et 14,5 % des suffrages, il réalise par rapport aux scores précédents du Front National un véritable exploit.

Exploit d'autant plus grand qu'il n'est qu'à 2 % de Raymond Barre et 5 % du Premier ministre, Jacques Chirac. Pour Jean-Marie Le Pen c'est sûr, dorénavant : *« rien ne se fera plus en France sans la volonté des électeurs du Front National »*.

Ceci semble un peu exagéré, mais il est exact que ce bon résultat ancre définitivement le Front National dans le paysage politique hexagonal, et à une place pas du tout marginale. Dans neuf départements Jean-Marie Le Pen devance même Jacques Chirac et Raymond Barre, dans soixante-quinze d'entre eux il dépasse les 11 %, et jamais ne tombe sous les 5 %. Les records ont lieu dans le Midi, grâce au vote pied-noir et à la très forte proportion d'immigrés : 25 à

30 % des voix à Perpignan, Nice, Toulon, Orange et Marseille. Cette progression permettra du reste à Bruno Mégret de réussir un petit numéro personnel à la télévision : il apostrophe le leader du Parti Communiste, tombé à moins de 7 %, en ces termes : « *Monsieur Marchais, nous venons de vous croiser dans l'escalier, vous descendez à la cave, nous montons au premier étage* ».

Le problème crucial réside alors dans le choix de la position à adopter pour le second tour. Avec 34 % des voix, François Mitterrand paraît bien placé pour décrocher un second mandat. Le Front National se retrouve en position d'arbitre au sein de la droite, divisée approximativement en trois tiers : un gros tiers gaulliste, un tiers moyen libéral et un petit tiers nationaliste.

Face à ces enjeux, Jean-Marie Le Pen sait que son attitude va être déterminante. Dans un premier temps, il oscille vers l'appel au vote pour Jacques Chirac. Se sentant résolument de droite, et malgré l'antagonisme puissant qui existe entre lui et le Premier ministre, il ne veut pas renouveler l'expérience de 1965, à ses yeux désastreuse (passant outre l'avis de Le Pen, Jean-Louis Tixier-Vignancour avait appelé ses électeurs à voter pour le candidat de gauche, François Mitterrand, contre le général De Gaulle qu'il exécrait). Plusieurs membres du bureau politique du Front National, rassemblés autour de Jean-Pierre Stirbois, militent, eux, pour un « Oui » franc et massif à François Mitterrand, afin de faire battre leur « ennemi de toujours », Jacques Chirac. Au terme d'un savant calcul, ils espèrent ainsi récupérer une bonne partie de l'électorat de droite, qui attribuerait ensuite la défaite de leur camp au comportement de l'état-major gaulliste envers le Front National.

Bien que ces deux attitudes semblent irréconciliables, une voie médiane très imparfaite finit par être arrêtée.

Lors de la fête du Front National consacrée à Jeanne d'Arc, une semaine avant le second tour, le 1er mai (date symbolique qui sera désormais celle des rassemblements lepénistes de printemps), Jean-Marie Le Pen n'appelle pas à voter Jacques Chirac, tout en disant de ne pas voter socialiste ! Il parle de *candidat résiduel* (Chirac), une trouvaille sémantique qui ne peut guère être pris pour un compliment.

Le Pen n'écarte cependant pas le vote en faveur de Jacques Chirac, pour ceux qui le souhaiteraient.

Ce feu orange pour le Premier ministre, assez peu incitatif il faut bien le dire, vaut en réalité pour beaucoup carton rouge. La plupart des militants et des fédérations frontistes voteront sans hésiter, et feront voter en sous-main, pour le Président de la République sortant.

Celui-ci n'a-t-il pas, du reste, montré une certaine compréhension à leur égard (attitude vis à vis du Front National, proportionnelle) et entretenu des relations lointaines mais incontestables avec l'extrême droite (francisque, gerbe pour Pétain, amnistie des généraux de l'Algérie française, amitié avec Bousquet...) ?

Le dimanche 8 mai, avec 54 % des suffrages, François Mitterrand est reconduit dans ses fonctions. Il sera le premier Président de la République à être deux fois élu au suffrage universel direct.

Immédiatement, dès le 14 mai, le Président de la République dissout l'Assemblée Nationale. Le RPR et l'UDF ayant rétabli dès 1986, grâce au travail de Charles Pasqua, ministre de l'Intérieur, le scrutin uninominal majoritaire à deux tours (en conservant l'extension à 577 circonscriptions), les élections législatives n'ont plus lieu à la représentation proportionnelle.

Elles ne peuvent donc s'avérer que défavorables au Front National, qui, à vrai dire, ne s'est pas préparé correctement à cette éventualité pourtant probable !

Au soir du premier tour, le 5 juin, le score pour le parti lepéniste reste honorable, 9,6 % (le même qu'en 1986), mais très en retrait par rapport à celui des élections présidentielles un mois auparavant.

Le second tour, le 12 juin, en revanche c'est la Bérézina.

Le président du Front National, candidat en personne à Marseille, ville pourtant réputée favorable aux idées lepénistes, ne totalise que 43,5 % des suffrages. Partout les candidats frontistes encore en lice sont battus, sauf à Hyères, dans le Var, où Yann Piat sauve son siège avec la performance de 54 %.

Certains ratent néanmoins leur élection de peu. Ainsi Jean-Pierre Stirbois à Marignane (et non Dreux) et Bruno Mégret à Gardanne réalisent-ils 44 %. A Marseille, le conseiller général Jean Roussel atteint les 49,8 %. L'électorat de droite semble bien avoir joué le jeu du report puisque, lorsque seuls un socialiste et un frontiste s'affrontaient, les électeurs RPR et UDF se sont portés à près de 70 % sur le candidat du Front National.

La principale conséquence de ces résultats est la disparition du groupe Front National à l'Assemblée Nationale, Yann Piat restant la seule élue du mouvement lepéniste; pas pour très longtemps puisque, quelques mois plus tard, à la suite du piteux jeu de mots « Durafour-crématoire », elle démissionne du parti, en compagnie de son ami François Bachelot ainsi que de Pascal Arrighi.

Elle rejoint les rangs du Parti Républicain qui, avec son président François Léotard (élu du Var à Fréjus), l'accueillent à bras ouverts. Elle a relaté cet épisode dans un attachant livre souvenir : *Seule, tout en haut à droite*. Elle restera membre de la formation libérale jusqu'à son mystérieux assassinat en 1994.

CHAPITRE TROIS

VERS LA CONQUÊTE DU POUVOIR PAR L'ENRACINEMENT (DEPUIS 1988)

L'élection présidentielle de 1988 constitue une étape importante dans l'histoire du Front National. Le score impressionnant de Jean-Marie Le Pen, surtout si on le compare à celui de 1974, traduit l'aboutissement d'un processus de reconnaissance électorale et institutionnelle du Front National, ainsi que l'impact personnel de son leader. Avec cette élection, il n'est désormais plus possible de prétendre que le phénomène n'est qu'un simple feu de paille.

Les dirigeants du mouvement lepéniste en sont, eux, d'ailleurs bien conscients. L'idée de pouvoir un jour gagner une élection fondamentale leur vient à l'esprit. C'est la raison pour laquelle, à partir de 1988, un changement notable de stratégie s'opère au sein du Front National. Ses responsables vont dès lors tout tenter pour modifier l'image de leur parti. Ils vont réorganiser ses structures internes, et, pour gagner en crédibilité, s'efforcer de construire un vrai programme, dépassant le simple cadre protestataire et velléitaire.

Ce projet de gouvernement aboutit par l'adoption, en 1993, des *300 Mesures pour la Renaissance de la France*.

La stratégie politique est définie. Le positionnement est méticuleusement choisi. Face aux «échecs» des gouvernements de gauche comme de droite, qui n'ont pas su répondre aux aspirations des Français, le Front National désire se placer en recours, en alternative. C'est en quelque sorte une formule plus élaborée de la dénonciation de la « bande des quatre ».

Cette « marche vers le pouvoir » sera d'autant plus sensible à partir de 1995, dernière grande date de l'évolution du Front National.

Les scores réalisés lors des récentes élections présidentielles et municipales confirment désormais un enracinement autonome et durable du Front National dans la carte électorale française. C'est une force politique à part entière. D'autant plus que, selon les études des politologues, le vote Front National correspond maintenant chez la majorité de ses électeurs à une véritable adhésion aux idées développées par Jean-Marie Le Pen. Désormais, l'objectif est donc clair pour le Front National. A la fin de l'année 1995, lors des universités d'été de Toulon et surtout à l'occasion des changements notables de structure et de dirigeants, le calendrier frontiste est passé à une vitesse supérieure, le cap étant fixé sur l'horizon des échéances électorales de 1998 et surtout de 2002. Jean-Marie Le Pen et son parti espèrent à voix haute que le discrédit de la classe politique et les difficultés sociales les porteront au pouvoir, en grande partie par lassitude pour les autres formations.

La première réorganisation des structures : l'automne 1988

Lors de la rentrée politique d'automne 1988, le principal geste politique de Jean-Marie Le Pen est de restructurer son mouvement afin de tirer leçon des échéances électorales récentes – en particulier, du succès des élections présidentielles.

Jean-Pierre Stirbois, qui incarne l'aile dure du mouvement, se retrouve une nouvelle fois marginalisé, « marqué » qu'il est par la transformation de l'état-major de campagne en une « délégation générale permanente du Front National » directement rattachée au président, avec à sa tête, celui qui prend de plus en plus des allures de dauphin, Bruno Mégret.

La structure ainsi créée double en réalité le secrétariat général. A elle seule sont désormais confiées la communication du mouvement, la propagande, les études et la formation des cadres, tout comme l'organisation des principales manifestations. La délégation est logiquement installée dans l'immeuble de l'avenue Marceau, avec pour principaux collaborateurs Bernard Antony, Dominique Chaboche, Jean-Yves Le Gallou ou Jacques Tauran.

Cette innovation coïncide avec l'émergence d'une nouvelle bataille électorale, celle du référendum sur l'avenir de la Nouvelle-Calédonie.

Le Front National, qui s'est impliqué dans la campagne par l'envoi dans ce lointain territoire français d'une représentation (conduite par Jean-Pierre Stirbois et principalement composée de l'universitaire Jean-Claude Martinez, de la propre fille de Jean-Marie Le Pen, Yann, et de Roger Holeindre), est, avec le CNI, le seul parti qui appelle officiellement à voter en faveur du « Non ».

Le soir du 6 novembre, le « Non » totalise 20,5 % des voix. Un grand nombre d'électeurs du RPR et de l'UDF, en dépit des consignes plus ou moins fermes de leurs mouvements respectifs, ont certainement rejoint dans l'urne cette position.

La veille du scrutin est cependant un jour funeste pour le Front National. Son secrétaire général, Jean-Pierre Stirbois, se tue à quarante-trois ans dans un accident de la route entre Dreux et Paris, à Ponchartrain. Jean-Marie Le Pen et l'ensemble des dirigeants du Front National assistent aux obsèques le 9 novembre, aux côtés de sa veuve, Marie-France, et de ses deux enfants.

La disparition de Jean-Pierre Stirbois constitue un vrai « coup dur » pour le Front National.

Malgré une réputation d'autoritarisme exacerbé et une personnalité « encombrante » (il y a beaucoup de rivalités internes qui se font jour à l'époque ; certains lui reprochent d'avoir noyauté le mouvement avec des hommes dévoués à

sa personne), Jean-Pierre Stirbois était depuis quelques an-
nées la véritable cheville ouvrière du mouvement lepéniste.
Il avait constitué de nombreux réseaux et doté le Front
National de fédérations militantes efficaces.

L'après-Stirbois se déroulera de manière uniforme : de
novembre 1988 à octobre 1995, le Front National ne chan-
gera pas radicalement de structure.

Derrière l'omnipotente présidence du chef, Jean-Marie Le
Pen, une direction bicéphale, héritière de la concurrence
entre Jean-Pierre Stirbois et Bruno Mégret, s'organise.

La délégation générale se trouve placée en concurrence
avec le secrétariat général, confié au remplaçant de Jean-
Pierre Stirbois, Carl Lang (kinésithérapeute de formation,
ancien dirigeant du *Front National de la Jeunesse*, très jeune
lui aussi puisqu'âgé de trente et un ans). Ce sont ces deux
structures qui vont se répartir la préparation des futures
élections ainsi que l'animation quotidienne des réseaux lepénistes.

Les municipales et les européennes de 1989 : la consolidation

L'année 1989 est une année déterminante dans la restructuration du Front National.

Lors de la convention nationale de Versailles des 21 et
22 janvier, les délégués des cent fédérations n'ont qu'une
idée en tête, établir les listes pour les prochaines élections
municipales du mois de mars.

A cette fin, pour mieux répondre aux aspirations des adhérents, la délégation générale décide de rationaliser la formation militante et idéologique de ses cadres. Elle fonde à
cet effet un *Institut de Formation Nationale*, héritier de l'*Institut d'Etudes Nationales*, destiné à organiser des conférences d'esprit universitaire autour de «vedettes» du milieu
intellectuel nationaliste. Les intervenants sont souvent
issus du nouveau *conseil scientifique*, organisme accueillant
les professeurs de faculté pro-frontistes. Les facultés d'ori-

gine de ces universitaires sont essentiellement Paris II (avec Jean-Claude Martinez, Jean Lamarque, Philippe Bourcier de Carbon), Lyon III (avec Jean Haudry, Jean Varenne, Pierre Vial) et Aix-Marseille (avec Christiane Pigacé, Pierre Gourinard).

Identité, une revue insistant sur la doctrine, d'inspiration et d'iconographie très Nouvelle Droite, est éditée sous l'égide de Jean-Claude Bardet et de Damien Bariller. Chacune de ses parutions est centrée sur un thème précis, comme l'identité, la démocratie, l'école ou l'écologie. Le sujet, décliné sous ses différents aspects par plusieurs articles de fond, est précédé d'une entrée en matière du président du Front National sous la forme d'un billet-éditorial d'une page.

Un véritable atelier de propagande est créé, en vue de l'élaboration de divers documents de campagne destinés à frapper les esprits, par exemple des tracts originaux ou des affiches « non-conformistes ». C'est cet atelier qui est à l'origine de la petite carte d'identité fac-similé ou du slogan « Le Pen, Vite ! » décliné en plusieurs langues sur les murs des grandes villes de France, dont la plus surprenante fut l'arabe !

Les élections de mars sont avant tout marquées par la difficulté pour le Front National à trouver des candidats sur l'ensemble du territoire. Nombre de sympathisants n'osent pas franchir le pas en se présentant officiellement sur une liste électorale estampillée Front National. La mauvaise image du mouvement lepéniste, qui est bien réelle, se fait là cruellement jour pour ses cadres et adhérents.

Le Front National réussit néanmoins à faire acte de présence dans presque toutes les villes de plus de cent mille habitants et dans près de 70 % des villes de plus de trente mille habitants. En revanche, 70 % de celles de moins de dix mille habitants ne sont pas dotées de listes frontistes.

S'il ne « crève pas le plafond », le parti de Jean-Marie Le Pen consolide ses positions lors de ces consultations.

Avec 7 % des voix au soir du premier tour, il s'enracine de manière uniforme dans la France profonde. Jean-Marie

Le Pen améliore son score de 1983 à Paris dans le XXe arrondissement avec plus de 15 % des suffrages. Soixante listes dépassent les 15 % dont celles de Toulon (20 %), Dreux (22 %) et Perpignan (25 %).

Au soir du second tour, le Front National compte une vingtaine de maires (des petits villages pour l'essentiel, à l'exception de Charles de Chambrun à Saint-Gilles dans le Gard) et près de mille deux cents conseillers municipaux.

Les dirigeants et les militants du Front National n'ont pas le temps de souffler puisqu'en juin de la même année se déroulent les européennes, élection qui leur est, du fait du mode de scrutin, réputée par avance favorable.

Le 22 mai, Jean-Marie Le Pen lance la campagne grâce à l'Heure de Vérité, encore une fois. Il y présente en direct deux nouveaux ralliés, l'un issu du milieu culturel, l'autre du microcosme politique : le cinéaste réalisateur de *La traversée de Paris*, Claude Autant-Lara, et Yvan Blot, président d'honneur du Club de l'Horloge, ancien député RPR du Pas-de-Calais, proche de Charles Pasqua, qui n'a pu obtenir d'investiture sur la liste RPR-UDF.

Le soir du premier tour, le 18 juin, le Front National confirme avec plus de 11 % des voix son score de 1984. Il garde donc ses dix élus. Les noms, cependant, changent. Outre bien entendu Jean-Marie Le Pen qui était tête de liste : Martine Lehideux, Bruno Mégret, Jean-Marie Le Chevallier, Yvan Blot, Bernard Antony, Bruno Gollnisch, Pierre Ceyrac, Claude Autant-Lara et Jacques Tauran (ce dernier est décédé fin février 1996).

Un nouveau groupe technique des droites européennes est formé en juillet avec, en plus des dix Euro-députés frontistes, six Allemands du *Parti Républicain* et un Belge flamand de l'ultra-nationaliste *Vlaams Blok*.

Un incident émaille l'ouverture de la nouvelle session à Stasbourg. Claude Autant-Lara, doyen d'âge de la nouvelle assemblée, est chargé à ce titre de prononcer le traditionnel discours d'ouverture. Il profite de l'occasion pour dénoncer l'impérialisme culturel américain et l'invasion du coca-cola qu'il souhaite voir remplacé auprès de la jeunesse par le « petit vin blanc de chez nous ». Il se voit conspué par les socialistes et libéraux non-Français, principalement nordiques. Il démissionnera de son poste quelques temps plus tard, à la suite de déclarations navrantes, de nature antisémites, dans *Globe*.

Ce départ fait remonter Jean-Claude Martinez, pour son plus grand soulagement. L'universitaire avait en effet versé cinq cent mille francs aux caisses du Front National, et s'était endetté pour une onzième place promise éligible « à coup sûr » ! Il n'y avait eu que dix élus.

La fin de l'année 1989 est marquée par deux législatives partielles, dont l'une va défrayer la chronique, à Dreux encore une fois.

Marie-France Stirbois qui, à quarante-quatre ans, a poursuivi l'action politique de son mari, se présente. La campagne est tendue et placée sous les feux de la rampe. Le Front National veut en faire un exemple d'autant plus symbolique que Dreux reste la ville de ses premiers succès. Les adversaires du mouvement lepéniste désirent, eux aussi, faire un exemple avec cette partielle, un modèle de lutte efficace contre le fascisme et l'extrême droite, par un appel au sursaut républicain.

Marie-France Stirbois, malgré cette médiatisation nationale, choisit de jouer la carte de la proximité. Elle visite méticuleusement la population drouaise pour lui expliquer son programme d'inspiration identitaire et sécuritaire. Elle privilégie notamment les quartiers sensibles à forte proportion d'immigrés.

Le soir du premier tour, le 26 novembre, avec 42,5 % elle distance Michel Lethuillier, le candidat du RPR.

Or celui-ci, en dépit du soutien officiel des états-majors de droite et de gauche qui ont décidé, Parti Communiste y compris, d'établir un Front Républicain pour barrer la route à la candidate de l'extrême droite au second tour, est vaincu le soir du 3 décembre.

Et largement, puisque la veuve de Jean-Pierre Stirbois est

élue député d'Eure-et-Loir avec 61 % des suffrages et sept mille voix de plus qu'au premier tour.

A Marseille, en revanche, le candidat soutenu par Jean-Claude Gaudin, président UDF du Conseil Régional, est élu avec 53 %.

A la même date, se déroule une cantonale partielle à Salon-de-Provence. Face au candidat socialiste, Philippe Adam est élu conseiller général Front National des Bouches-du-Rhône avec presque 51 % des suffrages exprimés.

Quelques années plus tard, lors du renouvellement de leurs mandats, Marie-France Stirbois et Philippe Adam ne pourront pas conserver leurs sièges et seront battus.

1990 : Carpentras, guerre du Golfe

L'année 1990 semble démarrer paisiblement pour le Front National, avec la tenue de son huitième congrès devant près de mille cinq cents délégués rassemblés à l'Acropolis de Nice les 30, 31 mars et 1er avril. Le slogan choisi pour ces journées de travail : « la France au pouvoir ! » (ce qui semble sous-tendre qu'elle en est, pour l'heure, écartée).

Les dirigeants du Front National entendent bien devenir une force de recours à part entière. Deux thèmes « à la mode » sont mis en exergue dans le programme : le social et l'écologie.

Le 1er mai, le défilé de Jeanne d'Arc est placé sous le signe de la résistance à la loi Gayssot – du nom d'un député communiste qui est à son origine.

La loi Gayssot vise à renforcer la législation antiraciste et à sévèrement condamner le négationnisme, qui a vu le jour depuis quelques années. Alors que cette disposition est saluée par tous comme un progrès dans notre arsenal juridique et pénal, le Front National crie, lui, au délit d'opinion ! Il réclame de surcroît – en vain – l'incrimination du délit de « racisme antifrançais ».

L'année 1990 restera dans les mémoires comme l'année des événements de Carpentras. Au lendemain d'une nouvelle édition de l'Heure de Vérité de Jean-Marie Le Pen, on apprend, le 10 mai, que le petit cimetière juif de Carpentras vient d'être profané dans la nuit.

Aussitôt Pierre Joxe, ministre de l'Intérieur, déclare un peu hâtivement «connaître les coupables» et désigne l'extrême droite. Le monde politique réagit au quart de tour et accuse le Front National d'être directement ou indirectement responsable du crime, en raison du «climat raciste et antisémite qu'il entretient dans le pays».

Le 14 mai, les associations juives et antiracistes organisent, de concert avec une grande partie du personnel politique, et sous la présidence effective du Président de la République, une immense manifestation de protestation et de dénonciation du racisme résurgent en France.

Tous désignent nommément le Front National, et demandent avec un certain succès aux autorités publiques locales d'interdire les réunions prochainement prévues par le parti lepéniste. Quelques-uns réclament purement et simplement l'interdiction du Front National, alors que l'enquête de police n'a pas commencé et qu'aucune piste sérieuse n'existe encore, selon les communiqués des autorités de justice.

Cinq ans après, des fuites venant du Parquet apprendront à l'opinion publique que les coupables n'ont rien à voir avec l'extrême droite, ni même avec la politique, ce qui permettra à Jean-Marie Le Pen de demander le 10 novembre 1995, lors d'une manifestation du Front National à Carpentras, des excuses publiques au nom de son mouvement «victime d'une machination d'Etat», selon ses propres propos.

L'affaire Carpentras reste emblématique. D'une part, on a souvent accusé le Front National de crimes qu'il n'a pas directement commis. Mais, d'autre part, et malgré les dénégations de ses dirigeants, les concepts manipulés par ceux-ci peuvent atteindre, notamment auprès de personnes de niveau faible, les zones les plus sombres de l'inconscient.

L'année 1990 est aussi l'année où débute la guerre du

Golfe. Provoquée en août par l'invasion militaire de l'Etat du Koweït par les troupes de Saddam Hussein, elle voit, courant 1990 et début 1991, l'entrée en guerre de la France aux côtés des Américains ainsi que de l'Organisation des Nations Unies, au nom des principes du droit international – tels l'intangibilité des frontières et le respect des souverainetés nationales.

Un consensus s'installe rapidement en France, dès le début du mois d'août, afin de condamner sans appel le geste impérialiste du pouvoir irakien. Toutes les forces politiques définissent, solidairement avec le Président de la République, une position commune de refus du fait accompli et tombent d'accord pour envisager une riposte armée en cas de persistance de la situation.

Le Front National décide alors de se démarquer singulièrement des autres formations. Il refuse la logique de ce qu'il appelle le « nouvel ordre mondial ». Pour le Front National, Saddam Hussein représente un facteur de stabilité au Moyen-Orient, par le biais de son régime laïque face aux intégristes musulmans iraniens et d'Arabie Séoudite. Cette position est du reste assez conforme à ce qui se pratiquait dans les diplomaties occidentales avant l'invasion du Koweït.

Jean-Marie Le Pen déclare officiellement le 22 août, de La Trinité-sur-Mer, son hostilité à l'engagement français derrière les Américains et sa préférence pour un *« règlement négocié du conflit »*. Devant l'enlisement de la situation durant l'automne, le président du Front National décide de faire un coup médiatique. Il se rend le 18 novembre dans la capitale irakienne, à la tête d'une délégation d'euro-députés, au grand dam du quai d'Orsay, prévenu trop tard pour empêcher le départ. Après une rencontre « au sommet » avec Saddam Hussein, il revient accompagné de cinquante-cinq otages occidentaux libérés à grand renfort de propagande par le Raïs de Bagdad.

Jean-Marie Le Pen, qui rencontre également à cette époque Hassan II, le Roi du Maroc, en vue toujours de trouver une solution pacifique au conflit, ne sera pas le seul en France à adopter ce type de position et à accomplir ce genre de démarches. Il rejoint en effet, dans une certaine mesure, des personnes comme Michel Jobert ou le socialiste Jean-Pierre Chevènement, ministre de la Défense.

Un nombre élevé de cadres et surtout de militants (en particulier les anciens militaires) au Front National, malgré les explications maintes fois répétées de son président, ne comprendront pas la démarche de Jean-Marie Le Pen alors que les troupes françaises étaient engagées physiquement au loin sur un théâtre d'opérations. Selon eux, l'analyse politique aurait dû céder le pas devant le réflexe patriotique.

Les régionales de 1992 : « sous les feux de la rampe »

La première moitié de l'année 1991 n'est marquée – à part quelques élections partielles encourageantes pour la structure lepéniste – par aucun événement interne d'importance, si l'on excepte les traditionnelles manifestations du 1ᵉʳ mai. Par contre, son président, Jean-Marie Le Pen, se retrouve une nouvelle fois dans une situation personnelle délicate.

Le 19 mars 1991, la Cour d'Appel de Versailles confirme et aggrave un jugement du Tribunal de Grande Instance de Nanterre. Elle porte un sérieux coup au président du Front National.

Poursuivi par le MRAP et neuf autres associations pour le « point de détail », Jean-Marie Le Pen est condamné à leur verser plus de cent mille francs, sans compter la publication de la décision dans dix journaux, ni les dépens. Jean-Marie Le Pen réagit avec force contre ce qu'il appelle une « machination, véritable tentative d'assassinat politique ».

D'autres condamnations frappent des publications proches du Front National (Le Choc du Mois, Présent, National Hebdo) et un de ses responsables, Jean-Yves Le Gallou. La direction du mouvement lance une souscription auprès de ses sympathisants pour faire face aux amendes, d'un montant non négligeable, prononcées par les tribunaux.

L'automne 1991 marque pour le Front National le début de la période de préparation des élections régionales et cantonales qui auront lieu au mois de mars 1992. Le scrutin, qui a lieu à la représentation proportionnelle départementale pour les régionales, s'annonce favorable pour le parti lepéniste qui compte déjà cent trente-sept conseillers régionaux sortants élus en 1986, alors que les intentions de vote en sa faveur étaient à l'époque beaucoup plus basses. Son objectif affiché est le doublement de ce chiffre.

Le Front National et le problème de l'immigration deviennent cette fois le centre de la campagne. Une enquête RTL-*Le Monde* révèle que 32 % des Français se sentent proches des idées du Front National. Le bras droit de Valéry Giscard d'Estaing, l'ancien ministre Michel Poniatowski, se prononce résolument pour une alliance électorale entre le RPR-UDF et le Front National, de même que pour des accords de gestion au sein des exécutifs régionaux.

Les « valeurs » du Front National envahissent nombre de discours, au sein même de la droite classique. Ressentant la percée des idées de Jean-Marie Le Pen, la droite décide de lancer des ballons d'essai pour remobiliser son électorat. Certains n'hésitent pas à parler ouvertement de réformer le code de la nationalité en réintroduisant la primauté du *jus sanguinis*, c'est à dire du droit du sang. Les « poids lourds » s'en mêlent. L'ancien Président de la République Valéry Giscard d'Estaing évoque « *l'immigration invasion* », et le président du RPR, Jacques Chirac, laisse échapper lors d'un dîner-débat à Orléans une allusion au « *bruit* » et aux « *odeurs* » provenant de la présence dans les cités des familles d'immigrés.

L'escalade aurait peut-être pu continuer assez loin sans l'intervention, début novembre, d'une campagne de presse alertant l'opinion publique sur les excès de l'idéologie lepéniste.

Le coup d'envoi est donné par les compte rendus d'un colloque organisé dans le Var le 2 novembre, à Saint-Raphaël, par Jean-Marie Le Chevallier et qui aborde l'écologie. La presse commente notamment le discours du délégué général du Front National, Bruno Mégret, où celui-ci estime hardiment que : « *l'écologie véritable va de pair avec la défense de l'identité et pose comme essentielle la préservation du milieu ethnique, culturel et naturel des peuples... Pourquoi se battre pour la préservation des espèces animales et accepter dans le même temps le principe de disparition des races humaines par métissage généralisé ?* »

Des articles, essentiellement dans la presse locale, dénoncent, sans trop de retentissement national au début, l'« écologie raciale ». Notons que cette crainte du métissage, évoquée publiquement par le numéro deux du parti lepéniste, est, selon le spécialiste des questions d'extrême droite, Pierre-André Taguieff, une des caractéristiques essentielles et fondatrices du discours ultra-nationaliste développé par le Front National en matière d'immigration et d'identité.

Bruno Mégret, deux semaines plus tard, concentre à nouveau sur lui les attaques de la presse. Mais elles sont cette fois reprises au niveau national par la télévision, ainsi que sur le plan politique par les adversaires de gauche et de droite du Front National. Ces derniers, en particulier les centristes, trouvent ainsi le moyen de faire cesser dans leur camp les surenchères à droite, tout en marginalisant à moindre frais un danger électoral de plus en plus redoutable (un sondage BVA-*Paris Match* donnait quelques jours auparavant une intention de vote à 17 % pour Jean-Marie Le Pen en cas de présidentielle anticipée).

Le scandale médiatique provient cette fois de la plaquette-questionnaire éditée par la délégation générale, et relative à la réduction de l'immigration en « *cinquante mesures concrètes* ».

Le cœur de la polémique se fonde essentiellement sur l'organisation pratique du retour des clandestins. Le Front National propose la création d'aires de regroupement sévèrement contrôlées (un peu, ce qui ne manque pas de sel, à l'image des futures extensions des zones de transit instituées quelques mois plus tard par le gouvernement socialiste). La gauche et les associations d'aide aux étrangers assimilent ces propositions à des camps de regroupement forcé. Le spectre des années noires de l'Allemagne nazie et de Vichy est alors évoqué tant, pour beaucoup, un vocabulaire particulièrement maladroit semble rôder en filigrane dans ces *cinquante mesures concrètes*. Durant plusieurs semaines, les titres des journaux sont consacrés à l'affaire : « *Nostalgie brune* », « *La nausée* », « *Les croisés de l'exclusion* », « *Les politiques indignes* », « *Mégret dans les eaux de Vichy* », « *Demandez le pogrom* », « *Les doctrinaires de l'ordre nouveau* », « *Contre la gangrène, ne baissons pas les bras* », etc.

Le début officiel de la campagne pour les élections régionales est entamé pour le Front National, le 12 janvier, par une nouvelle invitation de son président sur le plateau de l'Heure de Vérité. Jean-Marie Le Pen, devenu selon le mot de François Léotard *« l'astre noir autour duquel gravite la vie politique française »*, est au sommet de sa cote personnelle dans les sondages (jusqu'à 21 % de confiance), alors que sur le terrain idéologique, la gauche recentre son programme sur la lutte anti-Front National et dénonce la montée du fascisme en France.

La campagne va être caractérisée par la coalition des forces politiques traditionnelles et des autorités religieuses et morales contre le Front National et l'extrême droite.

La violence verbale éclate. Bernard Tapie s'en mêle et traite les électeurs du Front National de « *salauds* ». Aux évêques de Nice et Marseille qui appellent leurs fidèles à la vigilance afin de ne pas céder aux sirènes du racisme et de l'extrémisme, la direction du Front National réplique par un peu charitable : « *à chaque époque ses évêques Cauchon* ».

Des manifestations de « harcèlement démocratique » sont organisées par des groupes de gauche afin d'empêcher la tenue des réunions électorales du Front National. L'avion de Jean-Marie Le Pen doit même, à Bastia, être détourné en raison des pistes bloquées par un paquet de militants hostiles. Plusieurs réunions du Front National sont alors interdites par les autorités préfectorales car, du fait des violences engendrées par les contre-manifestations, elles troublent ou sont susceptibles de porter gravement atteinte à l'ordre public. Un dernier grand meeting parisien est cependant organisé, sans qu'aucun incident notable ne se produise, le 18 mars, au Zénith, pour clôturer de manière symbolique la campagne.

Durant toute cette période, le programme du Front National est demeuré au centre de toutes les polémiques. Le soir du 22 mars se transforme donc assez logiquement, pour le parti lepéniste, en un soir de victoire.

Avec plus de 3 300 000 voix et près de 14 % des suffrages exprimés, le nombre de ses conseillers régionaux atteint désormais deux cent trente-neuf. Premier groupe politique en Provence-Alpes-Côte d'Azur, il devient le second groupe en Alsace, en Ile-de-France, en Rhône-Alpes et en Nord-Pas-de Calais!

Les élections des présidents de conseils régionaux, qui se tiennent dans la foulée, seront assez tendues; dans deux régions notamment, le candidat de la droite parlementaire déclare rejeter par avance toutes les voix du Front National. Dans certaines régions, des élus frontistes, en représailles et semble-t-il à la fureur des dirigeants nationaux, voteront ostensiblement pour faire passer le candidat de centre-gauche.

Le 22 mars est aussi le soir du premier tour des élections cantonales. Le résultat est là nettement moins performant. Le Front National peut néanmoins maintenir deux cent quatre-vingt-douze candidats pour le second tour. Aucun accord de désistement réciproque n'est conclu entre le mouvement lepéniste (qui, pour piéger la droite, vient publiquement le proposer) et les dirigeants du RPR et de l'UDF, fidèles à leurs principes républicains.

La facture se révèle électoralement douloureuse pour la droite. Elle fait passer au second tour des candidats communistes et socialistes (plus de cinquante) et ne peut reconquérir la Seine-Saint-Denis et les Bouches-du-Rhône. Un seul conseiller général frontiste est élu, l'avocat Jacques Peyrat, à Nice, grâce essentiellement à une très bonne réputation personnelle locale.

Le « Non » à Maastricht

A la fin du mois d'avril 1992, le Front National trouve un nouveau cheval de bataille dans l'opposition la plus ferme au traité de Maastricht, signé au mois de février. Le traité sur l'Union Européenne – c'est son nom officiel – prévoit la création d'une banque centrale gérant une monnaie unique (et non commune) ainsi qu'une politique extérieure et de sécurité communes. Ce dispositif est jugé dangereux par les nationalistes, qui y voient l'affirmation ouverte de la logique européenne fédéraliste qu'ils dénoncent depuis toujours.

Jean-Marie Le Pen, très « communautarophobe », redoute principalement ses effets sur la souveraineté de notre pays.

Il déclare au *Figaro* le 22 avril : *« Maastricht ? C'est le début de la fin de la France ». « Au-delà des textes volontairement touffus et obscurs, il s'agit en fait d'un tour de bonneteau politique tel que le pratiquent les truands aux dépens des naïfs »* réitère-t-il le 1er mai à l'occasion du défilé de Jeanne d'Arc.

Jean-Marie Le Pen et le Front National sont, à cet instant, les seuls partisans déclarés du « Non » en France ; plus pour très longtemps...

Dès le mois de mai, les perspectives s'éclaircissent au sein de la majorité et de l'opposition parlementaires. A la très grande majorité des dirigeants RPR-UDF et socialistes, qui feront même pour certains campagne commune à l'appel du Mouvement Européen, s'oppose un petit clan du « Non » : à gauche, le Parti Communiste et les chevènementistes du *Mouvement des Citoyens* ; à droite, Alain Griotteray, Michel Poniatowski et Philippe de Villiers pour l'UDF, puis Philippe Séguin, rejoint en juin (après le rejet danois) par Charles Pasqua, pour le RPR.

Au début de l'été, l'Assemblée Nationale et le Sénat réunis en Congrès à Versailles, votent la révision de la Constitution pour permettre la ratification de l'accord. Le Président de la République décide de soumettre le traité de

94

Maastricht à référendum pour approbation populaire. Le scrutin est fixé au 20 septembre.

Le « Oui » – donné largement vainqueur au mois de juillet – fait début septembre pratiquement jeu égal avec le « Non ». Il est vrai que les adversaires du traité ont insufflé le rythme à la campagne. Lors de celle-ci, le Front National et Jean-Marie Le Pen sont éclipsés par la performance du couple Pasqua-Séguin, réunis une nouvelle fois, deux ans après leur tentative avortée de putsch contre Alain Juppé aux Assises du RPR de 1990, pour un tour de France populaire et médiatique.

Le soir du 20 septembre, si le « Oui » l'emporte à l'arraché, c'est le clan des « Non » qui, avec ses 49 %, sort moralement vainqueur.

Mais ce n'est pas le Front National qui profite de ces résultats, tant le poids du tandem gaulliste Pasqua-Séguin, épaulé par le traditionaliste Philippe de Villiers, est indéniablement à l'origine d'une telle réussite des « partisans de l'autre Europe ».

Les législatives de 1993

En cette fin d'année 1992, le plus urgent pour le Front National n'est pas de s'appesantir sur les résultats de Maastricht mais de préparer les prochaines élections législatives de 1993.

Pour faire le lien avec la campagne précédente, les cadres lepénistes décident de présenter un candidat dans chaque circonscription (soit 577) sous l'étiquette du N.O.N. *(Nouvelle Opposition Nationale)*.

Le premier d'entre eux, Jean-Marie Le Pen, annonce sa candidature dans la ville de Nice, dont la sociologie semble très favorable aux idées du Front National.

Les 5 et 6 novembre, le parti célèbre ses vingt années d'existence lors d'une grand-messe intitulée *Convention nationale des vingt ans.* Elle se tient au Bourget, près de Paris. Lors de cette manifestation, il est demandé aux délégués des départements et des associations amies de « plancher » sur un projet de programme rénové. Conçu par ses auteurs comme un véritable « programme de gouvernement », les *300 Mesures pour la Renaissance de la France* sont présentées à la fin de la convention par son comité de rédaction.

Celui-ci, sous la direction du délégué général Bruno Mégret, était ainsi composé : les « horlogers » Yvan Blot et Jean-Yves Le Gallou, l'énarque Pierre Milloz (auteur, déjà, d'une étude sur le coût supposé de l'immigration en France), Bernard Antony, Jean-Claude Martinez (le professeur de fiscalité qui veut immoler l'impôt sur le revenu) ainsi que Bruno Gollnisch, conseiller de plus en plus écouté par Jean-Marie Le Pen. Dans ce comité de rédaction se retrouvent en fait tous les véritables détenteurs, derrière Jean-Marie Le Pen, du pouvoir au sein du Front National aujourd'hui.

Au début du mois de décembre, sous l'impulsion de la cellule propagande du mouvement, le slogan officiel de la campagne est révélé à la presse et aux Français : *« Mains propres et tête haute... »*.

Il est décliné sous toutes les formes possibles : affiches où l'on voit Jean-Marie Le Pen se frotter les mains, affichettes, tracts, autocollants et même savonnettes... Le Front National entend par là souligner le climat tendu qui commence à régner dans la classe politique du fait des « affaires ». Il fait également un clin d'œil à l'opération « mani pulite » qui se profile en Italie. Par ce message sans détours, le Front National désire montrer du doigt le monde politique français traditionnel, « l'établissement », « la bande des quatre », et revendiquer une intégrité d'autant plus évidente qu'aucun frontiste, du fait de la carence en élus, n'a pu être en position, un jour, d'être corrompu.

Contrairement à l'année précédente, la campagne se déroule dans la plus grande sérénité, la gauche et la droite ayant renoncé à la diabolisation violente qui a en réalité aidé le Front National plus qu'elle ne l'a desservi. Les leaders frontistes sont très souvent les invités des grandes émissions de la radio ou de la télévision : Heure de Vérité de

Jean-Marie Le Pen le 31 janvier 1993, Sept-sur-Sept avec Marie-France Stirbois, Bruno Mégret et Carl Lang sur France 2.

Le Front National n'est toutefois pas au centre des enjeux. L'électorat est avant tout mobilisé par le rejet du socialisme, l'alternance parlementaire et la future cohabitation qui doit s'en suivre. Le RPR et l'UDF se sont accordés avant le scrutin sur le nom du futur Premier ministre. Bien que Charles Pasqua ait très fortement insisté auprès de Jacques Chirac pour qu'il aille, en cas de large victoire, à Matignon, *« pour ne pas laisser le champ libre à Edouard Balladur dans la perspective des présidentielles »*, le député RPR du XVe arrondissement de Paris est en définitive le nom derrière lequel tous à droite se sont rangés.

Pour l'électeur moyen, le choix se résume donc le jour du scrutin à voter pour ou contre le retour du RPR et de l'UDF, ainsi qu'à plébisciter ou non Edouard Balladur.

Les Français votent massivement contre les socialistes, discrédités par les « affaires ». Au soir du 21 mars, le Parti Socialiste est laminé au profit de la droite conservatrice et libérale. Le Parti Communiste résiste bien, sur une ligne stable à 9 %. Le Front National progresse. Avec 3 200 000 voix, il obtient 12,5 % des suffrages en moyenne nationale (contre 9,6 % en 1988). Il parvient à se maintenir pour le second tour dans une centaine de circonscriptions, où il atteint plus de 17 % des suffrages exprimés.

Le 29 mars, qui voit le triomphal succès du RPR et de l'UDF (plus de 460 députés sur 577 : une « chambre introuvable »), sonne aussi le glas des espoirs frontistes.

Aucun député Front National n'est élu. Jean-Marie Le Pen, avec seulement 42 % des suffrages, est battu à Nice, dans l'ancien fief de Jacque Médecin. Il quitte définitivement la ville, aussitôt après.

Marie-France Stirbois, député sortant, perd son siège de Dreux avec 104 voix de retard. Bruno Mégret, le numéro deux du parti, échoue de peu à Marignane, à 545 bulletins près. Partout, le scrutin majoritaire combiné à un pacte de front républicain bien suivi par les électeurs a détruit les espoirs frontistes.

La non-représentation des électeurs du Front National ne réjouit cependant pas tous ses adversaires au sein de la classe politique. Certains, avec discrétion, font remarquer qu'avec 3 200 000 Français non représentés de manière institutionnelle au Parlement, lieu démocratique de débat et chambre de décompression, le risque existe de voir un jour les mécontents affluer dans la rue. Quoiqu'il en soit, ce problème reste pour l'instant théorique, puisque le Front National semble continuer le jeu de la légalité démocratique qu'il a toujours suivi depuis sa fondation.

Le Front National décide de profiter de la période de deux ans ouverte par la cohabitation pour entamer une période de rupture ferme avec le système politique pratiqué par la droite et la gauche parlementaires, attitude qu'il a déjà esquissée, en pointillés, depuis 1988.

Il ne pense en effet qu'aux prochaines échéances : les européennes de 1994, mais surtout les élections présidentielles et municipales de 1995, voire les législatives de 1998, qui témoigneront du bien ou du mal fondé de sa nouvelle stratégie de « recours idéologique » et d'enracinement sociologique.

Décidé à ne plus faire de cadeau au RPR et à l'UDF, qui l'ont si souvent courtisé en coulisses et marginalisé officiellement, son but tourne dorénavant autour d'une implantation durable dans le paysage politique français. Non plus comme une force d'appoint à la droite de la droite (à l'exemple du MSI new-look de Gianfranco Fini), mais comme un parti de gouvernement crédible, alternative face aux RPR, UDF, PS et PC « mis dans le même sac ».

Le tour de chauffe : les européennes de 1994

Le renouvellement des mandats pour les élections européennes est fixé au 12 juin 1994. Le Front National compte bien, une fois encore, tirer son épingle du jeu et améliorer sa représentation au Parlement européen de Strasbourg.

Mais le scrutin à droite, dans le camp des euro-sceptiques, aiguise d'autres appétits. Le débat sur l'Europe et Maastricht n'a pas été clos par le référendum du 20 septembre 1992.

Si Charles Pasqua et Philippe Séguin, tenus au devoir de réserve par leurs responsabilités (ministre de l'Intérieur et président de l'Assemblée Nationale) jouent les muets, Philippe de Villiers décide, lui, d'occuper le créneau anti-Maastricht au sein de la majorité.

La liste officielle RPR-UDF conduite par le centriste Dominique Baudis ne rassemble, à quelques rares exceptions près, que des partisans du traité sur l'Union Européenne.

Parti très tôt en campagne, et après avoir longtemps stagné dans les intentions de vote, Philippe de Villiers redynamise sa campagne dans les dernières semaines, par un tour de France semblable à celui opéré par Charles Pasqua et Philippe Séguin durant l'été 1992. Se présentant en tant que leader de la *Majorité pour l'autre Europe*, avec le concours de dernière minute de Charles Pasqua (qui déculpabilise à l'avance une partie de l'électorat RPR-UDF jusque-là réticent à se diviser), Philippe de Villiers vide en partie de sa substance le message de Dominique Baudis qui le présente comme un dissident.

Le Front National, lui aussi, part très tôt en campagne. Avec une liste braquée *Contre l'Europe de Maastricht*, il espère attirer à lui, outre son électorat habituel, une bonne partie de la tendance anti-européenne du RPR et de l'UDF. Son message est clair : non à l'Europe fédérale ainsi qu'au « nouvel ordre mondial ».

Les éléments les plus hostiles à l'Europe montent au créneau, tandis que d'autres, plus favorables à une Europe confédérale se font plus discrets. Ainsi, Jean-Claude Martinez remplace-t-il Jean-Marie Le Pen à l'Heure de Vérité, où il représente officiellement la position du Front National.

Jean-Marie Le Pen et les responsables du parti se rendent bien compte que leur adversaire principal reste Philippe de

Villiers dont, bien qu'il s'en défende, le discours ressemble comme deux gouttes d'eau à celui du Front National. Les dirigeants frontistes sont cependant persuadés de le battre, sans aucun problème.

Au soir des résultats, le 12 juin, la surprise va être de taille, tant pour le Front National que pour le RPR-UDF.

Avec 11 % des suffrages, Jean-Marie Le Pen et les siens arrivent derrière Philippe de Villiers qui, avec 12,5 % des suffrages, obtient 13 élus. Dominique Baudis voit, quant à lui, son score s'effondrer à 25 % des voix : un échec patent.

Le Front National, qui ne réussit pas en pourcentage à améliorer sa performance de 1989, récolte toutefois, en raison de l'émiettement des suffrages, un siège supplémentaire. Ses onze élus sont dans l'ordre : Jean-Marie Le Pen, Bruno Mégret, Bruno Gollnisch, Jean-Claude Martinez (qui a gagné, par son anti-européanisme absolu, sept places par rapport à 1989 !), Carl Lang, Marie-France Stirbois, Bernard Antony, Yvan Blot, Jean-Marie Le Chevallier, Fernand Le Rachinel et Jean-Yves Le Gallou.

Jean-Marie Le Pen, dans une de ses analyses pleine de hardiesse, décide d'additionner carrément les voix de Philippe de Villiers à celles du Front National et déclare : *« il s'agit d'une montée des idées dont nous étions les précurseurs »*.

Mais les européennes ne constituent pour lui, en réalité, qu'un tour de chauffe en vue des deux échéances de 1995, en particulier les présidentielles. Selon le président du Front National, en effet : *« les cartes vont être redistribuées par l'élection présidentielle »*.

Les présidentielles et les municipales de 1995

L'année 1995 est marquée pour le Front National par deux rendez-vous vitaux. Les élections présidentielles d'avril, puis les élections municipales de juin, vont être l'occasion de vérifier la pertinence et l'impact de la stratégie déployée depuis plusieurs mois.

Bien que son candidat fétiche parte très tôt en campagne (dès le mois de septembre 1994), le Front National ne fait à ce moment guère parler de lui. Les vedettes en cette fin d'année sont à gauche Jacques Delors, qui laisse longtemps planer le suspense sur son hypothétique candidature et, à droite, le couple formé par Jacques Chirac et Edouard Balladur.

Au Parti Socialiste, tout se décante après le forfait inattendu du président de la Commission de Bruxelles. Le choix se porte alors sur Lionel Jospin, après un vote des militants qui écarte Henri Emmanuelli.

Au RPR, les choses se présentent de façon plus compliquée. Début novembre, dans un entretien au journal régional *La Voix du Nord,* Jacques Chirac, qui depuis plus d'un an arpente la France, se déclare très naturellement candidat à l'élection présidentielle.

Il est pour l'instant le seul à droite puisque le Premier ministre, au faîte des sondages, et dont les observateurs sont désormais sûrs de la candidature, tarde à franchir le Rubicon.

Ce qu'il fait, pour finir, au mois de janvier.

Edouard Balladur, porté en 1993 à Matignon avec l'appui de Jacques Chirac afin que ce dernier puisse sereinement préparer sa « rencontre » de 1995 avec les Français, plane depuis deux ans très haut dans les intentions de vote, alors que le maire de Paris a semblé durant ces deux années de cohabitation se marginaliser.

L'UDF, qui se reconnaît dans la méthode balladurienne et ne peut faire en réalité émerger aucun candidat, décide, à l'exception d'Alain Madelin, de suivre le Premier ministre.

Philippe de Villiers, grisé par son score des européennes, se lance lui aussi dans la bataille.

Jean-Marie Le Pen, conscient de son handicap médiatique et de son déficit d'image, décide de mener une campagne de terrain. Il tient de nombreuses réunions à travers tout le territoire. A l'instar des présidentielles de 1965, le Front National monte une caravane; sous la direction de Samuel Maréchal (gendre de Le Pen) elle va sillonner le pays pour délivrer le message lepéniste. Composée d'une dizaine de véhicules et d'une trentaine de permanents, l'expédition entame son tour de France à partir de la tour Eiffel, le 27 février 1995. Un incident se produit à Auch le 21 mars. Un affrontement oppose les jeunes de la caravane à des militants de gauche venus contre-manifester. Samuel Maréchal, au titre de responsable de la caravane, se verra poursuivi pour violences en flagrant délit et condamné en première instance à une lourde amende et à une peine de prison avec sursis.

Le Front National ne lésine pas sur les moyens durant cette campagne. Plusieurs milliers de cassettes audio et vidéo sont distribuées, vingt-huit millions de documents diffusés, un demi million de gadgets vendus ou offerts.

Jean-Marie Le Pen anime lui même seize grands meetings, tandis que ses lieutenants organisent deux cent cinquante manifestations et six cents réunions départementales.

Au soir du premier tour, le 23 avril, avec plus de 15 % et 4.570.000 voix, le succès s'avère véritablement sans précédent pour Jean-Marie Le Pen.

Le président du Front National savoure d'autant plus son score que son rival Philippe de Villiers descend à moins de 5 %, derrière l'indémodable Arlette Laguiller! Lionel Jospin, à la surprise générale il faut bien le dire, arrive en tête avec plus de 23 % des suffrages, devant Jacques Chirac (21 %) puis Edouard Balladur (18,5 %).

Comme en 1988, le dilemme s'installe pour les reports du second tour. Quel sera le choix du Front National? Voter pour le candidat de droite, mais Jacques Chirac est son pire ennemi, ou voter « révolutionnaire » en soutenant Lionel Jospin pour se venger du précédent? Renouveler l'appel de 1981?

La première solution est très vite écartée. Jean-Marie Le Pen ne croit pas un seul instant à la chance de Jacques Chirac. Il ne voit pas les balladuriens se reporter sagement sur celui qui a été pendant trois mois leur principal adversaire. Et en plus, lui, Jean-Marie Le Pen pèse 15 %!

Il pense devenir le tombeur du maire de Paris.

Le 1ᵉʳ mai, à l'occasion de son discours de clôture du défilé de Jeanne d'Arc, Le Pen rend donc leur liberté à ses électeurs, ne donnant en apparence aucune consigne de vote.

Il ne reste cependant pas neutre et égratigne clairement Jacques Chirac : « *Le peuple français est acculé à choisir entre deux hommes de gauche, tout deux du parti de l'étranger. Pour l'un d'eux, c'est clair, il est de gauche et s'en réclame. Pour l'autre, c'est trouble car c'est aussi un homme de gauche, qui a fait et fera une politique de gauche sous un masque de droite. S'il échoue et il échouera, l'échec sera imputé à la droite. Pour nous, Chirac, c'est Jospin en pire* ».

La manifestation frontiste de l'entre-deux-tours est marquée par l'assassinat odieux d'un jeune maghrébin, jeté à la Seine par des skinheads enivrés qui vadrouillaient en arrière du cortège.

Bernard Courcelle, responsable du service d'ordre du Front National, aidera la police à retrouver le coupable, mais une fois de plus, le mouvement a drainé la violence, qu'il le veuille ou non.

En dépit des consignes du président du Front National, Jacques Chirac est élu huit jours plus tard cinquième Président de la République française avec plus de quatre points d'avance sur son challenger.

Les militants du Front National n'ont pas le temps de se reposer puisque, un mois plus tard, ont lieu les municipales.

Les dirigeants du parti comptent sur le résultat des présidentielles pour imprimer un élan à leur campagne, et trouver ainsi un nombre suffisant de postulants à la constitution de listes. L'effort porte ses fruits. Cinq cent cinquante listes se montent en définitive (contre quatre cents en 1989). Les frontistes sont présents dans 90 % des villes de plus de trente mille habitants.

Selon les experts électoraux du lepénisme, une dizaine de grandes villes sont susceptibles de tomber dans l'escarcelle : Clichy-sous-Bois, Dreux, Marignane, Mulhouse, Noyon, Orange, Perpignan, Toulon, Vitrolles.

Les résultats du premier tour, le soir du 11 juin, avec un score de 9,8 %, ne sont pas aussi mauvais qu'il peut à première vue y paraître, loin de là.

En effet, c'est une moyenne nationale ; si un décompte par listes est opéré, trois cent soixante et une listes du Front National obtiennent plus de 10 %, quatre-vingt-treize dépassent les 20 %, dix-neuf sont au-dessus de 30 % et deux atteignent plus de 40 %. Les principales performances : Vitrolles où le délégué général du Front National, Bruno Mégret, réunit 43 % des suffrages ; Noyon où Pierre Descaves, après un travail de division de ses adversaires, totalise 44 % des voix.

Le Front National peut maintenir pour le second tour près de trois cents listes, ce qui est énorme. Elles sont opposées à des listes de gauche et de droite dans le cadre de triangulaires, voire de quadrangulaires. Les principaux espoirs frontistes : Dreux, Noyon, Marignane, Mulhouse, Toulon et Vitrolles.

A Mulhouse notamment, un front républicain s'établit. Le candidat de droite se désiste pour faire barrage au candidat lepéniste. Une campagne médiatique d'ampleur nationale met l'accent sur le cas de Vitrolles, qui devient bien vite un enjeu emblématique, tant pour Bruno Mégret, numéro deux du mouvement, que pour la gauche qui veut démontrer que, par la mobilisation, il est possible de faire échec au Front National.

Le second tour s'avère pour le Front National relativement meilleur que le premier. Près de deux cent trente listes maintenues dépassent les 10 %, soixante-cinq sont à plus de 20 % et vingt-deux font plus de 30 %.

Le soir du 18 juin voit toutefois la défaite de nombreuses personnalités proches de Jean-Marie Le Pen, comme Bruno Mégret avec 42,9 % des voix, Marie-France Stirbois à Dreux avec 39,3 % des suffrages, Gérard Freulet à Mulhouse avec 34,5 % des voix et Pierre Descaves à Noyon, qui frôle cependant la réussite avec 48 % des suffrages.

Les succès se présentent en fait là où les observateurs les attendaient le moins, essentiellement grâce au mécanisme des triangulaires : Orange (36 %), Marignane (37 %) et Toulon (37 %), trois villes de taille respectable. Les trois nouveaux maires sont : Jacques Bompard, Daniel Simonpiéri et Jean-Marie Le Chevallier.

L'enracinement du Front National semble désormais acquis dans le paysage politique français. Jean-Marie Le Pen compte bien faire de ces « vitrines » un exemple réussi de gestion frontiste et de « préférence nationale ». Il l'a d'ailleurs rappelé l'automne dernier à ses maires, confrontés à la dure réalité du pouvoir.

La seconde réorganisation des structures : vers les législatives de 1998

L'élection des listes de son parti à Marignane, Orange et Toulon confortent Jean-Marie Le Pen dans sa stratégie de recours et de conquête rationnelle du pouvoir.

Lors des universités d'été, qui se déroulent les premiers jours de septembre dans la ville symbole conquise par Jean-Marie Le Chevallier, le président du Front National déclare à l'attention de ses cadres : « *ces victoires sont certes relatives, elles ne nous font pas monter la tête, mais elles ont montré que désormais nous pouvons gagner, que cet objectif peut et doit être atteint* ».

Le prochain objectif est fixé : les législatives de 1998. Jean-Marie Le Pen de prophétiser : « *nous savons d'ores et déjà que la majorité sera battue* ».

Le président du Front National compte bien être l'un des artisans de cette défaite, afin, à terme, d'en tirer profit. Pour mener à bien ce projet, le Front National vient de réorganiser ses structures.

Carl Lang ayant annoncé sa démission du poste de secrétaire général lors des universités de Toulon, il est remplacé à cette fonction, après de longues tractations internes, le 9 octobre, par Bruno Gollnisch.

Agé de quarante-cinq ans, universitaire, parlementaire européen, Bruno Gollnisch, pur produit du nationalisme, épaulé par les catholiques traditionalistes du mouvement, apparaît avant tout comme un contrepoids au délégué général, Bruno Mégret, dont la personnalité et les orientations demeurent très moyennement appréciées par la frange la plus « ancienne » du parti.

Les nouveaux organes définitifs du Front National ne sont fixés qu'au cours du mois de novembre 1995, et entérinés par le conseil national du 2 décembre.

Le Front National se veut aujourd'hui en « ordre de bataille » pour affronter les prochains scrutins.

L'étape de 1998 sera sans nul doute déterminante. La capacité de pouvoir faire élire des candidats au scrutin majoritaire montrera la pertinence de la stratégie développée depuis quelques années. Mais le Front National compte beaucoup d'ennemis, qui sont résolus à l'empêcher de réussir son pari.

DEUXIÈME PARTIE

DES IDÉES ET DES HOMMES

CHAPITRE QUATRE
LES IDÉES

L'histoire et les noms des principaux dirigeants du Front National sont assez bien connus des Français depuis quelques années, grâce à l'éclairage constant des médias.

Le Front National est le parti qui, cette dernière décennie, a suscité le plus grand nombre d'articles de presse. Hormis quelques études universitaires confidentielles, de forme très scientifique, son programme est le plus généralement passé sous silence. Si bien que beaucoup en viennent à penser que le Front National n'apporte pas de réponses appropriées aux problèmes actuels, voire n'est capable d'en fournir aucune. Ceci explique pourquoi, pendant très longtemps, le Front National a été perçu, et s'est comporté en retour, en parti avant tout protestataire.

Cependant, le blocus autour de ses idées se lézarde depuis peu. Les adversaires du Front National ont, depuis peu, compris que pour être crédibles et efficaces, la diabolisation doit être remplacée par l'exposition puis la lutte sans concession contre l'idéologie lepéniste.

Enfin, selon les dernières analyses électorales et sociologiques faites par les politologues, tel l'expert Pascal Perrineau (auteur d'intéressantes études sur ce mouvement), l'image d'un unique vote à caractère protestataire ne tient plus la route. Depuis un certain temps, on constate une véritable adhésion programmatique de la part d'électeurs de plus en plus informés par et sur le parti lepéniste, ces électeurs étant souvent issus d'une gauche déboussolée et de milieux tout à fait éloignés de la tradition française d'extrême droite.

Il convient donc, dans cette étude, de faire place à la présentation des idées du Front National dans le domaine de l'immigration d'abord, puisque c'est ce qui a fait son succès, puis en économie, avant de présenter son récent « programme de gouvernement », les principales propositions des fameuses *300 mesures pour la France.*

L'immigration

Le Front National fut le premier parti français à mettre en avant la question de l'immigration sur le plan politique. Dès sa fondation, sous la pression des jeunes d'Ordre Nouveau, il se place sous le signe de la lutte contre « l'immigration massive ». Traumatisée par la décolonisation et l'indépendance algérienne, l'extrême droite française a été très sensibilisée par l'arrivée d'immigrés « économiques » issus du Maghreb dans les années soixante. Le patronat français, à cette époque, fait pression sur les gouvernements pour que l'arrivée de cette main d'œuvre bon marché (car peu qualifiée) soit facilitée.

La crise économique et le chômage ressentis au début du septennat giscardien mettent particulièrement en évidence, pour les dirigeants du Front National, l'enjeu potentiel représenté par la question. Surtout qu'à des considérations économiques se superposent des enjeux démographiques. Si le Front National n'en fait pas à cette époque la pièce maîtresse de son programme (ceci survient dans les années quatre-vingt), il faut néanmoins relever que c'est tout de même, dès lors, l'une de ses préoccupations. Comme les autres partis ne semblent pas s'intéresser à la question, cela permet à Jean-Marie Le Pen de revendiquer – sans qu'il puisse être démenti – d'avoir été le premier à soulever le problème, d'être, selon un de ses termes favoris, un « précurseur ».

Voici, schématisée, la chronologie des principales prises

de position du Front National en la matière de 1974 à 1980, dates où le parti de Jean-Marie Le Pen en est encore au stade végétatif.

Dès le 29 avril 1974, en pleine campagne présidentielle, le président du Front National réclame à la télévision d'Etat que les citoyens français soient traités de manière prioritaire pour l'embauche. C'est l'embryon de la fameuse notion de préférence nationale.

Quelques jours plus tard, dans son programme officiel de candidat, Jean-Marie Le Pen insiste à nouveau sur le problème de l'immigration par une déclaration ainsi rédigée : « *les Français ne supporteront pas que la France soit opprimée et terrorisée par des minorités qu'excitent de pseudos-intellectuels. Il y a actuellement plus de trois millions d'étrangers en France dont plus de la moitié appartient à la seule Afrique du Nord... A ces périls croissants, une seule solution : la stricte surveillance aux frontières... Une seule sanction aux manquements aux règles de l'hospitalité : l'expulsion immédiate par mesure administrative des immigrés condamnés de droit commun, des chômeurs perpétuels* ».

En octobre 1975, de rajouter dans un éditorial paru dans *Le National* : « *Comment pourraient-ils en appeler à la patrie (...) ceux-là qui (...) préfèrent gaspiller l'argent des Français dans une politique mondialiste. Nous disions en 1965 "La Corrèze avant le Zambèze" ; nous n'avons pas été entendus... Si l'étranger est mieux traité que le Français, à quoi bon être Français ?* ».

L'année 1979 témoigne d'une autre des grandes préoccupations du Front National : le concept de « racisme anti-français ». Le 9 mars de cette année est organisée, à la Mutualité, une soirée consacrée à ce seul thème. Depuis, il est devenu l'un des chevaux de bataille du Front National, celui-ci opposant de manière systématique le « racisme anti-français » à ceux qui dénoncent le racisme latent que véhicule son idéologie.

Jean-Marie Le Pen et le Front National ne démordront plus jamais de ce canneVas, encore sommaire il est vrai, défini lors de cette période. Ils l'adapteront et le complèteront au fil des élections et des ralliements de « têtes pensantes ».

La doctrine économique

Si Mao a son petit livre rouge, Jean-Marie Le Pen a son petit livre bleu (blanc pour l'édition primitive de 1978 aujourd'hui épuisée). *Droite et Démocratie économique* est paru à la fin des années soixante-dix. Son édition de référence est aujourd'hui celle de 1984. Elle représente, pour le Front National, la Bible en matière de programme économique. La vision frontiste des rapports économiques et sociaux y est exposée sur cent soixante pages.

La crise est présentée non comme un événement conjoncturel, mais comme puisant ses racines dans des déséquilibres structurels que le Front National se propose, dans un esprit néo-libéral, de corriger.

L'essentiel de la philosophie de l'ouvrage peut se résumer dans un ultra-libéralisme économique, résolument opposé aux thèses « marxistes » et social-démocrates. Deux maximes préalables précisent l'état d'esprit de ses rédacteurs : « *Il ne peut exister de libertés politiques ou autres sans liberté économique* » et « *La droite, nationale, populaire et sociale, se distingue de toutes les autres tendances en ce qu'elle veut enrichir les pauvres au lieu d'appauvrir les riches* ».

Cette dernière phrase est tout à fait dans l'esprit conservateur de l'époque, inspirée par les penseurs anglo-saxons du libéralisme économique.

Partisan résolu de la liberté d'entreprendre, le Front National tient néanmoins à se démarquer du mot « capitalisme », peut-être trop provocateur pour la droite sociale qu'il prétend être, tant « capitalisme » et « capitalisme sauvage » vont de pair dans beaucoup d'esprits. Au « capitalisme » il préfère la formule, qui explique le titre de son livre, de « démocratie économique ». Décrivant les processus de la démocratie ainsi que le jeu du marché, l'ouvrage insiste sur le fait que si le chef d'entreprise, nécessaire à la vitalité économique, doit être « libre de ses décisions dans le cadre des lois », le chef d'entreprise n'est pas un patron tout puissant. Il est soumis « aux ordres du peuple », manière plus politique d'expliquer la pression de la demande sur la forme et le volume de l'offre.

Le peuple, qui est le véritable client, peut en dernier recours, dans le schéma décrit, disposer d'un véritable droit de vie et de mort sur les entreprises, la sanction d'une mauvaise gestion pouvant très vite se traduire pour l'entrepreneur par la faillite.

« Ce n'est pas lui qui impose sa production, mais le peuple qui accepte – ou qui refuse ! – de la prendre ».

C'est donc en quelque sorte une démocratie directe de tous les instants. La conséquence logique de ce principe est que l'autorité du chef d'entreprise ou du décideur financier ne repose pas sur les capitaux qu'il engage, mais bien sur la volonté populaire. Donc si l'autorité patronale provient du peuple, les salariés en fin de compte sont au service du peuple tout entier.

Ce système politico-économique ainsi décrit a deux principales conséquences.

La première se situe sur le plan syndical. Elle est particulièrement intéressante car le Front National, aujourd'hui, développe une véritable stratégie de noyautage et d'emprise sur le monde syndical. Les événements sociaux anti-Juppé de l'hiver 1995 l'ont d'ailleurs conforté dans cette démarche. Les dirigeants du Front National ne cachent désormais plus leur intention de privilégier le développement des idées lepénistes dans le monde du travail, un peu à l'image de ce que les communistes avaient tenté et réussi dans le passé.

Leur nouvel électorat ouvrier, acquis depuis peu, n'est certainement pas étranger à ce revirement de stratégie. Le Front National est à l'heure actuelle, selon le politologue Olivier Duhamel, « le premier parti ouvrier de France ». La mise en perspective des positions des années quatre-vingt et de l'attitude de 1995 ne peut donc être qu'instructive.

Le Front National rejette catégoriquement le corporatisme, même s'il déclare sans complexe que l'organisation franquiste du travail a, selon lui, contribué à « *une améliora-tion importante du sort des salariés* ».

Il juge les syndicats indispensables à la survie de la société en milieu capitaliste : « *le pouvoir de décision du chef d'entre-prise appelle dans certains cas un contrepoids. Précisément parce qu'il se trouve harcelé par la concurrence, le patron s'efforce de comprimer les coûts. On sait la valeur de cette action pour les consommateurs, en grande majorité composés de salariés. Elle perdrait toutefois sa justification si elle ne s'arrêtait précisément à partir du moment où le salarié en ferait les frais. La réduction, ou même le seul maintien du pouvoir d'achat de ce dernier, inadmissibles du point de vue répartitif, se retourneraient d'ailleurs contre les industriels... Si les syndicats ne s'étaient pas constitués au cours des XIXe et XXe siècles, la "prophétie" de Marx donnant pour certain l'effondrement spontané du "capitalisme" se serait réalisée. Ils ont sauvé la démocratie économique, et même l'économie tout court... Leur réaction s'est révélée en fin de compte pro-fitable pour toutes les catégories sociales* ».

Toutefois, le Front National condamne violemment les syndicats français actuels, au premier rang desquels la CGT, « courroie de transmission du Parti Communiste ».

Le syndicaliste, dans son droit s'il défend ses « intérêts légitimes », agit en revanche contre le peuple, donc contre lui-même, lorsqu'il « abuse » de sa force syndicale.

« *Tout avantage arraché se traduisant par une hausse des prix ou par une réduction de la qualité des services nuit au peuple qui paie plus cher des prestations amputées, mais n'af-fecte pas le capitaliste, qui augmente simplement ses tarifs* ».

La seconde conséquence a trait aux grèves auxquelles sont appliquées les mêmes démarches intellectuelles.

C'est donc à un véritable système de « philosophie poli-tique » que les idéologues du Front National ont tenté de se livrer, dépassant la stricte analyse libérale de l'économie.

Dans *Droite et Démocratie économique* l'ennemi principal est nommément désigné, c'est l'adversaire « socialo-commu-niste ». Celui-ci comprend un large éventail, des communistes staliniens aux giscardiens « *dont le libéralisme avancé dissimule un socialisme hypocrite* ». Il faut ici se replacer dans le contexte de l'époque, avant la chute du mur de Berlin, lorsque l'URSS et ses «pays frères» représentaient pour l'Occident une menace idéologique et militaire. Les mouvements socialistes européens non communistes ne s'étaient pas encore convertis à l'économie de marché et au libéralisme, dont le bien-fondé économique semblait loin d'être évident.

Afin de se démarquer nettement du socialisme, le Front National insiste sur les moteurs de l'économie qu'il entend bien promouvoir sans fausse honte : le désir de profit – jugé légitime et stimulant –, le désir naturel de propriété – qui responsabilise l'homme et le rend libre –, l'inévitable inégalité économique ainsi que la donnée psychologique de l'honneur – principalement sous sa forme économique : la conscience professionnelle.

Rejoignant le capitalisme triomphant, le Front National considère que seule l'entreprise en définitive est facteur de richesses dans l'économie nationale. Les entreprises, par le travail et les salaires qu'elles distribuent, le profit et les investissements qu'elles produisent, régulent le marché et, par leur action, accroissent à terme le niveau de vie de la population dans son entier. Donc il est essentiel, pour le Front National, que l'on permette aux entreprises de s'épanouir. Toute politique économique d'un gouvernement responsable doit privilégier cet objectif en ne légiférant point exagérément et en n'étranglant pas l'initiative privée par un fiscalisme sclérosant.

Après avoir défini les termes principaux, ainsi que la philosophie sous-jacente à son projet, le Front National, dans *Droite et Démocratie économique*, présente les principaux axes de son programme :
- la «réhabilitation du profit» ;
- le «respect de la propriété privée» par une privatisation de toutes les sociétés de l'Etat soumises au secteur concurrentiel ;

- le « droit au travail pour les Français » par le retour des immigrés dans leur pays d'origine, sans principe d'indemnité aux immigrés clandestins comme à leurs Etats. *« Rien n'a été promis à personne. Rien n'est dû à quiconque »*.

Selon les analyses du Front National, au minimum un tiers du chômage peut être résolu par la substitution de chômeurs français aux travailleurs immigrés sur le départ, peut-être même les deux-tiers. Le regroupement familial est aussi fermement condamné.

« La résorption de notre chômage ne constitue que l'avantage le plus évident du retour, la partie visible de l'iceberg que constitue le lourd fardeau d'une présence indésirable... On est révolté lorsqu'on calcule ce que nous coûtent ces intrus ».

Si le fond perdure dans le programme développé de nos jours (les *300 Mesures pour la Renaissance de la France*) la forme paraît beaucoup moins policée, on le voit.

Pour expliquer la crise, le Front National désigne, dès cette époque, son caractère non simplement conjoncturel par un facteur originaire : la « perte du privilège industriel européen », du fait de la mondialisation des échanges et de l'émergence de nouveaux compétiteurs à main d'œuvre bon marché. Ceci est relativement original, et sera pillé par la suite.

A ce facteur extérieur, il superpose ce qu'il qualifie de *« dégradations économiques engendrées par les gouvernements »*.

Contre la crise, le Front National propose donc dans *Droite et Démocratie économique* :

- une période d'augmentation de la durée du travail à salaire égal ;
- de réduire les dépenses de l'Etat ;
- de baisser les impôts directs tout en privilégiant le maintien voire la hausse de la TVA, *« afin de rétablir la parité entre l'importation et la production nationale »* ;
- de renforcer la recherche scientifique et technique pour faire de la France un pôle « créatif » face à nos compétiteurs.

Quoique datée par le contexte politique de l'époque, la doctrine économique et sociale développée par le Front National dans *Droite et Démocratie économique* n'en conserve pas moins son actualité.

Le parti de Jean-Marie Le Pen s'inspire toujours, en 1996, des principales lignes dégagées alors. Il faut noter que cet ouvrage est sur certains points très laconique, notamment sur le calendrier possible de mise en œuvre du projet et sur son coût réel. De même, il apparaît quelquefois contradictoire, non dans son exposé, mais dans son inspiration. Le plus souvent conduit par l'ultra-libéralisme du renouveau conservateur des années quatre-vingt tel qu'il sera appliqué par Margaret Thatcher ou Ronald Reagan, placé sous les auspices des penseurs néo-classiques comme Arthur Laffer (inventeur de la formule « *trop d'impôt tue l'impôt* »), Friedrich von Hayek ou Milton Friedman, il s'en éloigne dans la présentation et dans les termes, comme par pudeur. Sous le couvert d'une « démocratie économique » préférée au terme « capitalisme », le Front National semble avoir redécouvert les lois du marché, la notion de « peuple » dans une optique politique remplaçant celle de « consommateur » ! Il va même jusqu'à dénoncer « *le monétarisme de Friedman* » accusé de « *cruelles et inutiles récessions* » alors que l'Ecole de Chicago (école de pensée économique favorable au libre jeu le plus complet du marché et de la monnaie) ne renierait en aucun point l'attitude frontiste dans sa démarche économique telle qu'elle est présentée dans l'édition-référence de 1984, hormis sur le plan de l'immigration.

Jean-Marie Le Pen, lui, préfère parler en l'espèce de national-libéralisme plutôt que d'ultra-libéralisme, terme qu'il rejette.

Il insiste sur ce point : « *Les ultra-libéraux sont plutôt mondialistes. Le libéralisme est limité par la solidarité nationale. Nous faisons de l'économie pour la politique et non de la politique pour l'économie. Politique d'abord, ce qui ne veut pas dire politique au-dessus mais politique devant* ».

Quant à l'immigration, elle incarne pour les responsables du Front National une des causes principales de l'accroissement de la crise qui règne en France depuis le milieu des années soixante-dix.

Elle a des conséquences sur le chômage. Elle a aussi des incidences sur le plan social; le regroupement familial est évidemment condamné. Il faut observer que le terme de « préférence nationale », s'il est inscrit dans la logique du discours, n'est pas encore apparu sous la plume des idéologues du Front National à cette époque. C'est seulement en 1985 que la « préférence nationale » fera son entrée sur la scène politique. *La préférence nationale* sera le titre d'une étude du Club de l'Horloge publiée sous la direction de Jean-Yves Le Gallou, encore membre du Parti Républicain.

La dénonciation de l'immigration, source de bien des maux, ne tient en réalité qu'une place limitée dans *Droite et Démocratie économique*, ouvrage avant tout économique, contrairement aux *300 Mesures pour la Renaissance de la France* publiées en 1993.

Le programme de gouvernement du Front National : les 300 Mesures pour la Renaissance de la France

L'année 1993 témoigne d'une rupture de statégie du Front National, rupture qui sera pleinement consommée en 1995 après les élections présidentielles et municipales. Le parti protestataire qu'est jusqu'alors le Front National aspire désormais à se présenter en recours, en organisation responsable dotée d'un véritable projet d'ensemble de gouvernement national, tranchant avec les idées de l'« establishment ».

C'est pourquoi sont adoptées de manière tout à fait solennelle, lors de la *Convention des vingt ans*, les *300 Mesures pour la Renaissance de la France* qui comportent un sous-titre ainsi rédigé : *Front National, Programme de gouvernement*.

L'essentiel des propositions qui ont fait la force du Front National auprès d'un certain électorat ont trait à la défense de l'identité française, ainsi qu'à la dénonciation corrélative de l'immigration, principalement celle issue du tiers-monde et en particulier du continent africain. Il n'est donc guère surprenant que les *300 Mesures pour la Renaissance de la France* développent assez longuement cette matière.

La couleur y est clairement annoncée, si l'on peut dire : « *la menace la plus grave qui pèse aujourd'hui sur l'avenir de la France est le mondialisme* ». La solution avancée paraît, elle aussi, sans ambiguïté dans son énoncé de principe : « *immigration, renverser le courant* ».

Les dirigeants lepénistes rédacteurs du programme partent du constat d'une forte montée de l'immigration en France depuis 1974, date officielle de l'arrêt de celle-ci, pour condamner tous les gouvernements successifs, de droite comme de gauche.

Selon eux, cette immigration, loin d'avoir été profitable au pays, est au contraire facteur de désordre et de péril graves. « *La France est une nation européenne "venue du fond des âges" et sa population est, pour l'essentiel, fixée depuis plus de deux millénaires, ainsi que l'a démontré le professeur Dupâquier... Si elle a pu, depuis le milieu du XIXe et au début du XXe siècle, absorber des étrangers, ces derniers étaient d'origine européenne, généralement catholiques... Il n'en va pas de même avec l'immigration des vingt dernières années, maghrébine, africaine, turque, indo-pakistanaise... La présence sur le territoire français d'ethnies de plus en plus nombreuses... pose à terme un problème de paix civile* ».

Ainsi est expliqué l'embrasement des banlieues et l'insécurité.

Pour le Front National, l'immigration produit l'insécurité car « *proportionnellement les étrangers commettent plus de crimes et de délits que les Français* » (source statistique utilisée : chiffres pour 1989 de la Direction centrale de la Police Judiciaire).

Et bien sûr, point d'orgue de l'argumentaire frontiste, l'immigration est « *une cause majeure du chômage... une charge économique et sociale* ».

Afin de mieux appuyer leur idée, qui depuis plus de dix ans constitue la clef de voûte idéologique de leur progression auprès de l'électorat, les responsables du Front National ont fait appel à un énarque rallié, Pierre Milloz qui, dans deux ouvrages, s'est penché sur la question, la réponse allant bien entendu dans le sens de la démonstration lepéniste.

Dans *Le coût de l'immigration* (1990) et *Les étrangers et le chômage en France* (1991), Pierre Milloz estime que le chômage français consécutif à l'immigration peut se chiffrer à un million d'emplois et que la charge annuelle de l'immigration pourrait avoisiner – même dépasser – les 210 milliards de francs. Le commissariat au Plan et le Haut-Conseil à l'Intégration avaient, à l'époque, décidé de réaliser une contre-expertise. Celle-ci n'a jamais vu le jour.

Face à ces constats, les solutions avancées évitent le maniérisme : « *Aider les immigrés chez eux, pas chez nous* ».

Il est donc proposé de renverser le courant migratoire par la réforme du code de la nationalité, grâce à la primauté du droit du sang, la naturalisation devant être un acte d'exception empreint de solennité (prestation de serment au pays un peu à l'image de ce qui est pratiqué aux Etats-Unis). En outre, il y a mise en place de procédures strictes : période de probation au terme de laquelle seulement sera accordé le droit de vote, fin du regroupement familial, réforme du droit d'asile « *détourné pour couvrir une immigration pourtant officiellement interdite depuis 1974* ».

La philosophie du Front National sur le sujet de l'immigration peut se résumer en la prise de décisions politiques et législatives des plus radicales et abruptes, afin « *d'arrêter les pompes aspirantes* », ce qui peut se traduire par la limitation ou l'arrêt des avantages sociaux versés aux immigrés.

Le terme « préférence nationale », qui depuis est employé de manière courante par la presse ou certains hommes politiques comme Philippe de Villiers (qui s'en est directement inspiré, bien qu'il s'en défende avec énergie), recouvre exactement, pour le Front National, la notion de priorité d'emploi réservée aux seuls Français et ressortissants de l'Union Européenne.

Sont également inclus dans cette expression la priorité

d'accès pour ces mêmes personnes aux logements sociaux, l'accord de prêts d'accès à la propriété, la réservation aux seules familles françaises des allocations familiales « *destinées à encourager la natalité* » ainsi que l'octroi aux seuls nationaux des aides sociales, et en particulier du revenu minimum d'insertion.

Ceci constitue le point du programme du Front National qui, certes, fait son succès auprès de l'électorat, notamment auprès des milieux populaires dans les régions à forte densité de populations issues de l'immigration, mais c'est aussi celui qui reste le plus vivement contesté par ses adversaires politiques, la presse, les autorités morales et religieuses de toutes confessions.

En l'état actuel de notre législation, et compte tenu de la jurisprudence libérale et protectrice des libertés du Conseil Constitutionnel, un tel programme semble très difficilement applicable en France. C'est ce qui explique que Jean-Marie Le Pen, conscient de cette difficulté majeure, est partisan de l'avènement d'une « Sixième République » en cas d'hypothétique victoire législative et présidentielle.

En attendant, il se plaît à évoquer que de telles propositions n'ont rien d'inconcevable sur le plan pratique : l'Etat de Californie a vu l'adoption récente d'une motion populaire tendant, hormis les cas d'urgence, à réserver aux seuls citoyens américains (et aux étrangers en situation de régularité juridique) l'accès aux soins publics.

Dans le domaine économique le Front National, par les *300 mesures*, précise et complète *Droite et Démocratie économique*.

Ici aussi, même si cela est moins bien net qu'en 1984 (la mode ultra-libérale est passée et certains ralliés de la droite classique, en 1986, ont quitté le Front National), l'inspiration libérale perdure néanmoins.

L'accent est placé sur le poids écrasant des dépenses publiques. Le Front National propose de les réduire de trois cent cinquante milliards en sept ans. Pour cela il compte agir sur cinq secteurs : l'Education Nationale, la Sécurité

Sociale, l'interventionnisme économique, l'administration et l'immigration.

En matière de Sécurité Sociale, le Front National se prononce pour une séparation totale des trois grandes branches, parallèlement à la création de caisses séparées pour les étrangers. Ce serait l'Etat qui assurerait directement le contrôle du système ainsi créé. Le monopole de la Sécurité Sociale serait de fait supprimé (pour l'assurance obligatoire de base), les assurances privées pouvant proposer un tarif concurrent.

Sur ce point, notons que le Front National a opéré un virage complet : quelques années auparavant, il était l'un des plus chauds partisans de la privatisation totale de la Sécurité Sociale. Depuis 1993, c'est au contraire à une nationalisation de la Sécurité Sociale qu'aboutit son nouveau projet.

Le Front National désire également *« rendre aux Français les entreprises étatisées »*, c'est-à-dire amplifier le processus des privatisations – y compris les participations minoritaires – jusqu'à un montant évalué à trois cents milliards de francs.

Ne seraient pas concernées les entreprises assurant une mission de service public.

Mais l'aspect le plus frappant de cette politique économique réside dans son volet fiscal.

La fiscalité, et plus particulièrement son excès, ont toujours constitué un des thèmes récurrents, tant à l'extrême droite (souvenons-nous du mouvement Poujade) qu'auprès des libéraux.

Et il se trouve aussi que certaines des populations électrices du Front National semblent particulièrement sensibles à la hausse des prélèvements obligatoires (commerçants, artisans, agriculteurs...).

Voici pourquoi Jean-Claude Martinez, l'expert ès-fiscalité du microcosme lepénien, a trouvé un large auditoire pour exposer ses thèses non-conformistes.

Jean-Claude Martinez part du postulat bien connu de la

pression fiscale exagérée. Sur certains points, ses analyses sont partagées par d'autres économistes : 43,8 % du Produit Intérieur Brut en 1990 résulte du volume cumulé des impôts d'Etat, des impôts des collectivités territoriales et des cotisations sociales. Chaque Français payait, en 1990, 7 099 dollars d'impôts contre 5 329 dollars en moyenne pour un Occidental. De même, la multiplicité et la complexité des prélèvements (mille impôts, taxes et cotisations réparties en neuf types de prélèvements) paraît bien inutile.

Encore une fois, cet état des lieux n'a rien d'original. La plupart des économistes occidentaux, mais aussi les hommes politiques de droite comme de gauche semblent tomber aujourd'hui d'accord sur cette analyse.

Là où Martinez ne peut être suspecté de manque d'audace, c'est plutôt dans les solutions envisagées par lui comme remède !

Elles tranchent avec celles généralement avancées.

Pour Jean-Claude Martinez et le Front National, le mal fiscal provient de la réforme Caillaux, instituant au début de ce siècle l'impôt sur le revenu et scindant en deux la fiscalité française (fiscalité d'Etat-fiscalité locale). La réforme fiscale consisterait donc, par référendum, à revenir à la situation d'avant 1917, afin de réunifier l'environnement fiscal français. Le but serait également de « *supprimer les impôts spoliateurs* » par l'instauration d'un plafond de prélèvement et la simplification du mécanisme d'imposition.

Le noyau de ce programme est constitué tout simplement par la suppression de l'impôt sur le revenu !

Si la proposition semble brutale et révolutionnaire dans son énoncé, voire taxable de démagogie, elle est toutefois assez détaillée dans ses modalités d'application. En France, seuls treize millions de contribuables sont imposés sur le revenu. Parmi eux, près de sept millions ne paient que 4 % du montant total recouvré de l'impôt. Les 20 % les plus imposés, par contre, paient 80 %. L'exonération progressive (par le bas) des petits contribuables, puis l'écrêtement parallèle des taux marginaux les plus imposés semble donc possible aux yeux des experts du Front National, ceux-ci arguant en plus que l'impôt sur le revenu ne représente que 12 % du total des prélèvements obligatoires.

Les *300 Mesures pour la Renaissance de la France* n'évoquent cependant pas l'autre idée préconisée par Jean-Claude Martinez pour réformer notre fiscalité nationale : l'augmentation corrélative de la TVA, impôt sur la dépense qu'il juge plus juste et économiquement salutaire, s'inspirant en cela d'études discutées de quelques Prix Nobel d'économie.

Il est vrai que l'inscription dans le programme officiel du Front National d'une telle idée – pourtant logique dans le système de pensée développé par Jean-Claude Martinez – aurait peut-être de quoi, aux yeux de ses collègues du bureau politique, faire réfléchir le petit électeur frontiste, la ménagère de Toulon ou d'Orange.

Un autre cheval de bataille du Front National : l'insécurité

Souvent liée dans son esprit à l'immigration, elle proviendrait de ce que le Front National appelle *« l'inversion des valeurs »*, avec un accent de droite très traditionnel et ultra-conservateur. Dans cet esprit Jean-Marie Le Pen affirmait en juillet 1986 : *« la sécurité est le premier des droits de l'homme ; l'assurer est le premier des devoirs de l'Etat »*.

Les *300 Mesures pour la Renaissance de la France* précisent la pensée de leurs auteurs : *« La vraie prévention : la morale »*, *« La vraie dissuasion : la peine »*. Les mesures concrètes déclinées en l'espèce sont :

● *le rétablissement des prérogatives du pouvoir judiciaire.* Pour cela, la désignation du Conseil Supérieur de la Magistrature doit être modifiée, les syndicats à aspect politique dans la magistrature sont voués à la disparition au profit d'organismes plus corporatifs (c'est en fait, ici, une dénonciation en règle du Syndicat de la Magistrature, proche du Parti Socialiste), l'Ecole Nationale de la Magistrature est supprimée afin d'éviter l'esprit de « caste », et le statut comme les moyens des juges devront être revalorisés.

- *l'augmentation des moyens de répression contre les délinquants* et les criminels par la généralisation d'une carte nationale d'identité infalsifiable (effectuée depuis le 1er janvier 1996) et la multiplication des contrôles d'identité, tout refus de se soumettre entraînant des poursuites judiciaires.
- *le renforcement des sanctions en cas de crime* ou de délit. Le respect intégral de la loi est essentiel pour le Front National. La peine doit être prompte (justice rapide afin d'éviter les détentions préventives trop longues), ferme et incompressible (sauf grâce présidentielle). La réduction entre l'écart maximum et l'écart minimum de la peine est prônée « *de façon à éviter de trop grandes disparités d'une juridiction à l'autre* ».

La peine de mort, pièce maîtresse de l'échelle des peines, est rétablie, de manière très large : pour les crimes et trafics internationaux organisés (drogue, activité maffieuse, espionnage), les actes terroristes et les prises d'otages, les meurtres d'enfants, de personnes âgées, de policiers, et enfin les assassinats et meurtres avec viols et les actes de torture.

Si les délinquants sont étrangers, l'expulsion vers le pays d'origine est prévue.

La défense

Ici, la principale originalité concerne le service militaire. Dénoncé de longue date par Jean-Marie Le Pen comme une véritable « *corvée moderne* » (au sens médiéval du terme), le Front National est le partisan résolu d'une armée de métier. Le débat est aujourd'hui officiellement relancé puisque la professionnalisation de l'armée et la disparition de la conscription sous sa forme actuelle (peut-être remplacée par un service civil et humanitaire) sont proposées par le Président de la République, Jacques Chirac.

Seulement, le Front National souhaite maintenir un service militaire volontaire pour les jeunes qui le désireraient. Les jeunes soucieux de donner une partie de leur vie à la collectivité ne seraient plus affectés dans l'armée régulière, mais versés dans une « garde nationale » destinée à participer au « maintien de l'ordre » et à servir de réservoir de personnel pour compléter, en cas de nécessité, les forces d'intervention.

Une autre proposition originale est relative à la création d'une défense anti-missiles, un peu à l'image de la défunte Initiative de Défense Statégique (« guerre des étoiles ») du Président des Etats-Unis Ronald Reagan dans les années quatre-vingt.

Le Front National, très militariste par conviction, semble apprécier moyennement le plan de modernisation de l'armée décidé en 1996 par le Président de la République. Afin de manifester son opposition à la réduction des régiments (ainsi que pour s'attirer les sympathies des professionnels), Jean-Marie Le Pen vient de lancer au mois de mars un *Comité de Défense de l'Armée* qui rassemble un nombre non négligeable d'officiers en retraite.

En matière de **relations internationales**, le programme européen du Front National est révélateur de son nationalisme sourcilleux. Sa principale préoccupation tourne autour du rétablissement de la souveraineté de la France, qu'il estime aujourd'hui en grave péril. Dans cette optique, il suggère de dénoncer purement et simplement le traité de Maastricht, d'abroger la révision constitutionnelle du 23 juin 1992 instituant le vote des résidents communautaires aux élections municipales françaises, d'introduire dans la Constitution la primauté du droit interne sur le droit national et de modifier les institutions européennes en éradiquant carrément la Commission de Bruxelles, érigée en bouc-émissaire de la technocratie « eurocrate ». A la place de l'actuelle Union Européenne, le Front National envisage la fondation, par traités classiques, d'une Confédération de *l'Europe des Patries* (terme qui fut inventé par les communistes français en 65) régie non plus par le principe de l'intégration communautaire mais par celui de la simple coopération, dont les intérêts face au reste du monde seraient assurés par un concept de préférence européenne, à l'instar du principe de préférence nationale.

Les **institutions** devront aussi être amendées par l'instauration d'une Sixième République. Toujours dans les *300 Mesures pour la Renaissance de la France*, l'accent est porté sur l'inscription de la préférence nationale de manière solennelle dans la charte suprême. Figurent parmi les réformes, le renforcement des pouvoirs et de la représentativité du Parlement (par l'instauration de la représentation proportionnelle) ainsi que le développement de la souveraineté populaire, c'est à dire la démocratie directe (extension du champ d'application du référendum, création du référendum d'initiative populaire). Cette dernière mesure est notamment issue des travaux d'Yvan Blot au sein du *Club de l'Horloge* et de l'A3D *(Association pour le Développement de la Démocratie Directe)* ; il s'est inspiré notamment du modèle démocratique suisse.

L'hypothétique Sixième République doit en fait être entendue comme un ravalement des institutions de la Cinquième République. Pour Jean-Marie Le Pen en effet : « *il y a des choses excellentes dans la Cinquième République. Notre projet de Sixième République n'est pas un projet antinomique de celle-ci. C'est un toilettage. Quand il arrive un moment où le Conseil Constitutionnel, le Conseil d'Etat et la Cour de Cassation bloquent toutes les décisions du législatif, on est dans des situations dont il faut sortir. On ne peut en sortir que par un référendum et par l'adoption de nouvelles structures, puisque les factions ont usé des libertés que leur laissait la Constitution pour s'emparer subrepticement de points d'appui afin de faire échec, en quelque sorte, à la volonté nationale* ».

La préférence nationale n'est pas la seule « préférence » du vocabulaire frontiste. Comme pour faire écho à celle-ci, les rédacteurs du programme de gouvernement du Front National – sous l'impulsion des catholiques militants du mouvement – ont fait une large place à ce qu'ils nomment la « préférence familiale », fil conducteur de la politique de la famille qu'ils entendent conduire si, un jour, ils arrivent au pouvoir.

La **famille** reste pour le Front National une préoccupation majeure. En cela il s'apparente à la droite la plus traditionaliste. Il s'inquiète de l'avenir de la famille, tant il est obsédé par le *déclin* de qu'il considère comme la cellule sociale de base, indispensable à l'identité humaine et nationale. Culte de la nation et défense de la famille sont donc indissociables pour le parti de Jean-Marie Le Pen : « *Avec la nation, la famille est au centre de toutes les attaques, celles des lobbies comme celles des gouvernants. Il est vrai qu'elles sont l'une et l'autre le socle de notre civilisation, de notre identité, de notre avenir, en somme de tout ce que d'aucuns veulent dissoudre et voir disparaître* ».

L'avortement est dénoncé comme le principal facteur ayant permis l'accélération de l'effondrement démographique, accompagné par le déclin de l'institution du mariage au profit du concubinage, qui ne semble guère emporter l'adhésion.

Le Front National est donc résolument hostile à toute idée d'avortement. Simone Veil, auteur de la loi sur l'interruption volontaire de grossesse, est régulièrement conspuée – en termes insultants – aux réunions frontistes par les militants, en particulier par les catholiques ultras ou les intégristes de Saint-Nicolas du Chardonnet.

En parallèle de cette dénonciation, le Front National suggère de prendre des mesures afin de favoriser l'adoption pour les familles françaises.

Il faut noter que, depuis quelques temps, les élus du Front National participent de plus en plus aux manifestations organisées par la nébuleuse des associations anti-avortement qui prennent aujourd'hui en France un essor notable.

Au fond, le Front National développe une vision très conventionnelle de la famille, avec le mariage comme clef de voûte de sa politique familiale. Les couples légitimement mariés seront favorisés. Les rédacteurs du projet frontiste préconisent la mise en place d'un revenu maternel afin de permettre aux mères de famille, dotées désormais d'un statut juridique et social (droit à la sécurité sociale, à la retraite, à la formation professionnelle), de demeurer au foyer.

Préoccupés par la situation démographique de la France, au point souvent d'en faire une idée fixe d'où le fantasme sexuel n'est pas absent – comme sur d'autres thèmes de la droite extrême –, c'est donc à une vision très conservatrice que se livrent les experts du Front National afin *d'enrayer la chute de la natalité.*

Dans son réflexe identitaire, le Front National fait enfin une place privilégiée à l'environnement. Pour lui, l'homme doit être le « défenseur de l'ordre naturel ». Son programme en la matière peut réellement être taxé d'assez « écolo » (réserve vis-à-vis du nucléaire, protection des paysages, maîtrise de l'urbanisme, lutte contre les pollutions...) avec même une proposition concernant le « respect dû à l'animal ». La mesure a certainement fait plaisir à Brigitte Bardot, dont le dernier mari est un ami intime de Jean-Marie Le Pen.

Les *300 Mesures pour la Renaissance de la France* sont en réalité un catalogue de propositions empreintes, sur le plan politique, du nationalisme le plus exacerbé (préférence nationale, souveraineté nationale, identité nationale) et sur le plan économique, d'un libéralisme à tout crin, même si plus tiède qu'en 1984-88 (privatisations, baisse massive des impôts, mise en concurrence de la Sécurité Sociale...).

Il n'est pas du tout certain que les nouveaux électeurs du Front National issus des milieux de la gauche ouvrière puissent aisément s'y retrouver sur le plan économique.

D'où, depuis peu, l'accent mis dans les discours davantage sur le social. Jean-Marie Le Pen reste néanmoins confiant dans l'acceptation du national-libéralisme par ce nouvel électorat : *« les ouvriers sont des citoyens comme les autres et, comme tels, ils ont intérêt globalement à la marche la plus efficace de l'économie. On n'est pas seulement ouvrier, on est citoyen, on est consommateur, on est héritier, on est assuré, on est contribuable... Les citoyens ont intérêt à la garantie de la répartition des bénéfices selon les règles de la préférence nationale »*.

Nous avons affaire, dans les *300 Mesures pour la Renaissance de la France*, à un programme typiquement de droite ultra-conservatrice et nationaliste, dont un des principaux défauts réside, entre autres, dans le flou de son coût et de son calendrier.

Une nouvelle mutation : « ni gauche ni droite » ?

Le Front National, avec un programme et des cadres issus de l'extrême droite ou de la droite la plus conservatrice et réactionnaire, aimait jusqu'à présent se définir lui-même comme la « vraie droite » ou « la droite à la droite de la droite ». C'était l'une des fiertés et des revendications de Jean-Marie Le Pen et de ses compagnons. C'est l'une des constantes du discours lepéniste depuis la fondation du parti en 1972.

Or, depuis son université d'été 1995, le *Front National de la Jeunesse*, sous l'impulsion de son directeur national, Samuel Maréchal, développe un nouveau message, repris par le Front National lui même. « Ni droite, ni gauche, Français » apparaît aujourd'hui, pour les observateurs, comme une nouvelle thématique au sein du discours lepéniste.

Pour Samuel Maréchal (auteur d'un livre portant ce titre) : *« Ni droite, ni gauche, Français est à la fois un slogan politique et une stratégie politique. Celui du refus de la division des Français en deux camps opposés et celle du rejet des RPR-UDF-PS-PC »*.

En effet, « ni droite, ni gauche, Français » recouvre chez le Front National, en réalité, deux significations parallèles.

La première est le refus de la séparation des Français apportée, selon eux, par la Révolution française.

1789 est montré du doigt, accusé d'être directement responsable de la cacophonie actuelle. L'origine de la droite et de la gauche en France remontent à cette période, à la séance de l'Assemblée relative à l'octroi du droit de veto au roi. Les partisans du veto royal s'étaient rangés à droite, ses adversaires, les « patriotes », à gauche.

Donc, la gauche n'a pas le monopole de la générosité, pas plus que la droite ne détient celui du patriotisme. Et de citer comme exemple pour ce dernier point la loi du député socialiste Roger Salengro du 10 août 1932 (celui-ci se suicidera en 1936, suite à une virulente campagne de l'extrême droite menée contre lui par le journal *Gringoire*) instituant une préférence nationale en matière d'emploi.

La seconde est la dénonciation de l'échec des gouvernements de droite comme de gauche. Selon Samuel Maréchal, ils représentent tous la social-démocratie et : « *Par idéologie ou lâcheté ils ont donné à la France vingt mille eurocrates. En 1984, ils ont créé une guerre racisme-antiracisme pour cacher leurs échecs politiques et économiques* ».

Notons que ce discours ne fait que reprendre la vieille antienne de Jean-Marie Le Pen sur la « bande des quatre ».

Si le « ni gauche, ni droite, Français » est entré dans la thématique du Front National avec l'appui de Jean-Marie Le Pen qui l'a repris plusieurs fois dans ses discours, il serait abusif de le présenter comme la nouvelle doctrine officielle du Front National.

Cet axe est avant tout la caractéristique du FNJ, ainsi qu'un moyen pour Samuel Maréchal, qui ne manque pas d'ambitions, de se positionner par rapport aux autres personnalités et courants du mouvement. Il lui donne pour ainsi dire un créneau politique, ainsi qu'une dimension idéologique destinée à renforcer sa crédibilité.

« Ni gauche, ni droite, Français » n'est d'ailleurs que très moyennement apprécié par bon nombre de responsables du mouvement qui sont attachés à revendiquer leur étiquette de droite. Bruno Gollnisch, comme secrétaire général, a officiellement cautionné ce message lors de la convention FNJ de février 1996, non sans avouer son mal à se débarrasser de son appartenance à la droite qu'il appelle « de conviction ». Bruno Mégret ne s'y reconnaît pas non plus. Bernard Antony, quant à lui, exprime sans détours ses réserves : « *c'est un slogan. Les slogans sont moyennement intéressants. C'est*

le slogan que l'on ressort à droite tous les dix ou quinze ans.
Pour moi, la droite a une dimension métaphysique. Ce qui est
à gauche signifie ce qui est gauchi, dans toutes les sociétés
d'ailleurs. La gauche, c'est le camp de la révolte. Nous, nous
sommes le mouvement de la droiture ».

Leur seul point d'accord résiderait donc dans la concep-
tion électoraliste de dénonciation des partis de droite et de
gauche institutionnels.

Jean-Marie Le Pen adopte lui une vision qui permet de
mettre tout le monde d'accord : *« Je ne suis pas un fanatique*
des idéologies de droite. La droite n'existe que par antinomie
de la gauche. Elle existe de manière beaucoup plus réactive
que positive. La vie de l'homme est réaction. C'est une démar-
che dans le fond très pragmatique, la droite. Elle s'inspire des
fruits de l'expérience. Elle se défie des constructivismes. Ni
droite, ni gauche c'est le slogan du FNJ. Parce que les jeunes
sont plus près des novations de la société et qu'ils perçoivent
un double phénomène de rejet qui englobe l'ensemble de la
classe politique française, disqualifiée par son impuissance.
Quand le pouvoir est impuissant, il cesse d'être justifié. Ni
droite, ni gauche, c'est le rejet de la Cinquième République,
du système. Pas en bloc, car il y a des choses excellentes dans
la Cinquième République ».

La cohérence : le lepénisme

La cohérence idéologique du Front National, sur quelques aspects, apparaît comme difficilement perceptible.

Cependant, sur les grandes lignes comme l'immigration, le
positionnement n'a guère bougé depuis les années soixante-
dix.

En matière d'économie et de social, en revanche, et même
si les orientations fondamentales sont demeurées identiques,
beaucoup de « points de détail » non négligeables ont connu
des évolutions et circonvolutions.

Le libéralisme est moins présent, ou plus justement, son
cadre est mieux précisé : la préférence nationale constitue

désormais le soubassement quasi-exclusif de la politique sociale du Front National.

Sans nul doute, l'arrivée au fil des élections de nouvelles couches d'électeurs a marqué le discours lepéniste, sans le faire dévier fondamentalement de son cours. Elle l'a plutôt complété, précisé, ajoutant ou renforçant ici et là des centres d'intérêts nouveaux. Les chômeurs et les ouvriers, populations dans lesquelles désormais le Front National est dominant, ont accentué le message populiste et social du Front National au détriment de ses accents les plus radicaux, qu'il a, semble-t-il, pour partie abandonnés.

L'objectif du Front National n'a jamais résidé dans la construction d'une idéologie rigoureuse, à la différence de courants plus intellectuels de l'extrême droite, mais dans une mobilisation du plus grand nombre d'électeurs autour des idées qu'il défend. Le Front National est avant tout un pragmatisme dont le centre de gravité est un nationalisme exacerbé, avec comme porte-parole Jean-Marie Le Pen.

Jean-Marie Le Pen reste en effet l'élément de cohérence du Front National. Le parti est tout entier organisé en fonction de sa personne. Le Front National est peut-être le seul mouvement politique à encore pratiquer un tel culte du chef.

Deux raisons peuvent être avancées : l'adhésion au principe hiérarchique chez ses électeurs soucieux d'ordre, et la personnalité même de Jean-Marie Le Pen qui, indéniablement, possède un aspect charismatique.

Si l'on voulait faire un raccourci très sommaire nous pourrions affirmer qu'en fait le Front National c'est, avant tout, du « lepénisme ».

CHAPITRE CINQ
LES HOMMES

Les partis politiques vivent d'idées, mais également, et peut-être même en priorité, des hommes. Le Front National n'échappe pas à cette règle. Son histoire toute entière est imprégnée de la présence de personnages au profil varié, avec à leur tête Jean-Marie Le Pen.

La force de Jean-Marie Le Pen, qui est la cause initiale du succès politique de son mouvement, est d'avoir su fédérer derrière lui des personnalités très diverses, voire franchement antagonistes.

En effet, quoi de commun entre un ancien collaborationniste et un ancien résistant, entre un catholique intégriste et un néo-païen du GRECE, entre un « horloger » reaganien et un militant issu du Parti Communiste ?

Le seul dénominateur commun est une vision nationaliste identique, déterminée et incarnée par Jean-Marie Le Pen.

Cette unité fait aujourd'hui la puissance du Front National, mais elle constitue également son grand point faible pour l'avenir.

Jean-Marie Le Pen est âgé de soixante-huit ans. Même s'il est au mieux de sa forme et résolu à poursuivre le combat politique, tous derrière lui ont à l'esprit l'âge du capitaine avec, en point de mire, la retraite du chef dans les années qui viennent.

D'où l'atmosphère palpable de guerre de succession implicite qui resurgit à intervalles réguliers. Chaque figure du parti, chaque « courant » du Front National cherche à avancer ses pions, afin de récupérer à son profit une structure désormais solidement implantée dans le paysage politique français.

Contrairement à ce que l'on présageait il y a quelques années, tout laisse penser que le Front National puisse survivre politiquement à Jean-Marie Le Pen, du fait de l'adhésion des électeurs à son programme et de son enracinement homogène sur le territoire de notre pays. Officiellement, bien entendu, si l'on écoute les responsables du parti, aucune succession à l'ordre du jour. Il n'existerait même aucun courant à l'intérieur du Front National.

Jean-Marie Le Pen a voulu, à plusieurs reprises, suspendre le débat sur son éventuelle succession. Il est à la tête du rassemblement nationaliste pour encore de longues années, «pourvu que Dieu [lui] prête vie».

Le «Chef»: Jean-Marie Le Pen

Il n'est pas question ici de tracer une biographie, tâche à laquelle plusieurs ouvrages se sont déjà attelés, mais de rappeler de manière sommaire les événements de la vie de Jean-Marie Le Pen qui peuvent éclairer son action politique.

Jean-Marie Le Pen, breton d'origine, est né dans le Morbihan à La-Trinité-sur-Mer le 20 juin 1928, dans un milieu modeste. Son père, patron pêcheur, saute sur une mine au cours de l'été 1942. Arrivé à Paris en 1948, il étudie le droit et préside la Corpo, association qui règne alors sur le Quartier Latin. En dépit de son statut de pupille de la nation, il s'engage en 1953 pour l'Indochine. Présenté à son retour à Pierre Poujade, celui-ci le nomme délégué national de l'*Union de Défense des Commerçants et Artisans*.

Elu plus jeune député de l'Assemblée à vingt-sept ans, celui que le «Tout Paris» de droite se dispute à l'époque et appelle le «Minou Drouet de la politique», anime le groupe poujadiste à l'Assemblée Nationale. Il rompt officiellement avec Poujade lors de la crise de Suez, à laquelle il participe comme rengagé volontaire, puis sert en Algérie où il occupe un poste d'officier de renseignements. A son retour, il fonde le *Front National des Combattants*. Il est réélu au scrutin majoritaire, sous l'étiquette Indépendante, à l'Assemblée Nationale en 1958. Opposé à la politique algérienne du général De Gaulle, il créé en 1960 le *Front National pour l'Algérie Française*, d'où sont issus les principaux cadres de la campagne présidentielle de 1965 en faveur de Jean-Louis Tixier-Vignancour. Son engagement «Algérie française» lui vaut d'être battu aux législatives de 1962, dans le Ve arrondissement de Paris par le candidat gaulliste, René Capitant. Secrétaire général des *Comités Tixier-Vignancour*, il est le véritable animateur chez les nationalistes de la campagne de 1965. Il se brouille avec son candidat lorsque celui-ci décide, seul, d'appeler à voter pour François Mitterrand. Il abandonne alors la politique militante pour se consacrer à la SERP, maison d'édition de disques qu'il avait fondée en 1963 avec quelques amis, dont Pierre Durand. Titulaire d'une licence en droit, il reprend en 1970 ses études en vue de l'obtention d'un diplôme d'études supérieures de sciences politiques, sous la conduite du professeur Maurice Duverger. Son sujet de recherche portera sur *Le courant anarchiste en France depuis 1945*.

Il s'engage à nouveau en politique lorsque François Brigneau prend contact avec lui, au nom d'*Ordre Nouveau*, afin de présider ce qui deviendra, sous son impulsion, le Front National. L'histoire personnelle de Jean-Marie Le Pen se confond depuis le 5 octobre 1972 avec l'histoire de ce parti, non sans péripéties : les événements algériens, l'héritage Lambert, le «point de détail», le sida. Il a toujours répondu à ces attaques, et poursuivi systématiquement ceux qu'il appelle «ses diffamateurs» au cours d'innombrables procès – qu'il a souvent gagnés. Notons que depuis l'affaire perdue du «point de détail», Le Pen commence désormais à perdre quelques procès.

Jean-Marie Le Pen est certainement la figure principale du nationalisme français d'après-guerre. Il a su canaliser des tendances opposées de l'extrême droite française lors des années soixante-dix, pour les transformer, comme Front National, en un rassemblement qui, de manière officielle, mais pas toujours dans la pratique, a rompu avec ce passé sulfureux.

Il est important de noter que, contrairement à la quasi-totalité des responsables de formations d'extrême droite, Jean-Marie Le Pen a toujours respecté le jeu démocratique et institutionnel. En témoigne sa participation continue, depuis l'âge de vingt-sept ans, aux élections. C'est ce légalisme qui, sans doute, l'a empêché, lors de la guerre d'Algérie, de participer au putsch des généraux ou à l'OAS. Ses références ont toujours été républicaines – certes en faveur d'une république autoritaire – mais la République quand même. Jamais il n'a appelé à renverser le régime, même s'il conteste celui-ci sous sa forme actuelle.

Les figures

Autour de Jean-Marie Le Pen gravite un premier cercle qui préside aux destinées du Front National. Il est constitué de ceux qui incarnent la cheville ouvrière du parti. Certains assurent son fonctionnement interne au quotidien comme son délégué général, Bruno Mégret, ou son secrétaire général, Bruno Gollnisch. D'autres exercent une influence déterminante auprès de Jean-Marie Le Pen et des cadres, à l'exemple de Bernard Antony, ou auprès des militants et des médias, ce qui est le cas de Marie-France Stirbois. Afin de mieux comprendre le fonctionnement réel du Front National, ses enjeux de pouvoir et rivalités aussi, voici la présentation de ces « figures » du mouvement.

Bruno Mégret

« Mégret ! Ce n'est pas moi. Vous le reconnaîtrez facilement, il est plus petit et plus facho que moi ! » Ainsi s'est un jour adressé Jean-Claude Martinez aux journalistes qui le confondaient avec le délégué général, à l'entrée d'un bureau

politique du Front National. Ce n'est pas la première fois qu'une étiquette peu flatteuse de ce genre est accolée à la personne de Bruno Mégret. Cette image, entretenue par ses adversaires, lui a sans doute été attribuée en raison de son physique sec, de sa réserve qui fait dire de lui qu'il est « froid », ainsi que de sa réputation de doctrinaire et d'idéologue, partisan de la préférence nationale la plus absolue.

Afin de mieux comprendre celui qui est véritablement le numéro deux du Front National, il est intéressant de parcourir son itinéraire politique, cheminement d'un notable issu de la droite classique rallié au Front National à l'occasion des législatives de 1986.

Agé de quarante-sept ans, Bruno Mégret, d'origine parisienne, est fils d'un conseiller d'Etat ; ses études témoignent d'une intelligence nettement au-dessus de la moyenne : Polytechnique, ingénieur des Ponts et Chaussées, master of science de l'Université californienne de Berkeley. Sa carrière professionnelle, elle aussi, reluit d'un bel éclat : chargé de mission au Commissariat général au Plan à vingt-six ans, chargé de mission à la Direction de l'équipement de l'Essonne, conseiller technique à trente ans de Robert Galley (ministre RPR de la Coopération dans le gouvernement de Raymond Barre) puis, jusqu'en 1986, directeur adjoint des infrastructures et des transports de l'Ile-de-France. Ce passé professionnel prestigieux fait dire de lui qu'il est un des « cerveaux » du Front National.

Son engagement politique est assez ancien, d'abord par le combat idéologique, puis par le militantisme. Il adhère en 1974 au Club de l'Horloge, dont il devient administrateur. Dès ses premières activités professionnelles, il se rapproche du mouvement gaulliste nouvellement restructuré par Jacques Chirac. Il appartient alors à l'aile droite du RPR. De 1979 à 1981, il est membre du comité central du RPR, et reçoit son investiture lors des élections législatives de juin 1981 dans les Yvelines, face à Michel Rocard.

Après l'avoir mis en ballottage, il échoue assez largement au second tour, avec seulement 40 % des voix. A la suite de la victoire mitterrandienne de 1981, il « entre en résistance », selon ses propres termes, et fonde un club d'opposition, les Comités d'Action pour la République (CAR). Ils compteront, à leur apogée, plus de cinq mille membres. Il préside également la *Fédération pour l'Avenir et le Renouveau* qui rassemble une trentaine de clubs très hostiles à la majorité socialiste.

Déçu par l'attitude du RPR et de l'UDF qui refusent toute alliance avec le Front National, Bruno Mégret, partisan résolu d'une union des droites, se rapproche officiellement, à la fin de l'année 1985, du Front National.

Il devient pour ainsi dire naturellement le rival de Jean-Pierre Stirbois car tout les oppose.

Leurs origines sont différentes. L'un est issu d'un milieu modeste et fréquente, dès son adolescence, les milieux d'extrême droite; le second, d'origine bourgeoise, fréquente les cabinets ministériels et appartient à la droite des notables.

Jean-Pierre Stirbois est le partisan d'un nationalisme populaire, Bruno Mégret défend le libéralisme thatchérien. Lors de la préparation des élections de 1986, Bruno Mégret devient le moteur de la stratégie d'ouverture (dite de «rassemblement national») qui permet le ralliement de dirigeants du CNI et de quelques cadres du RPR.

Elu alors en Isère, il est nommé par Jean-Marie Le Pen vice-président du groupe Front National à l'Assemblée Nationale. Jean-Marie Le Pen, impressionné par ses talents d'organisateur, lui confie la direction de sa campagne pour les présidentielles de 1988. Bruno Mégret devient à partir de cette date, au poste de délégué général, le véritable numéro deux du Front National, au détriment de Jean-Pierre Stirbois qui avait pourtant tout tenté pour freiner cette ascension. Bruno Mégret reconnaît aujourd'hui: «*Honnêtement, je crois que c'est une nomination qui ne lui faisait pas très plaisir, l'arrivée d'un alter-ego. Je me suis toujours efforcé que les choses se passent au mieux. Mais il est certain que cela a créé une certaine tension*».

Après les présidentielles, Mégret décide de s'implanter dans les Bouches-du-Rhône, département qui est le plus favorable au Front National. Avec 44 % des suffrages, il est battu par le candidat socialiste lors des élections législatives de juin 1988, dans la circonscription de Gardane. Elu député européen en 1989, il se représente dans les Bouches-du-Rhône aux élections législatives de 1993 où il est distancé de peu par son adversaire. Candidat à Vitrolles lors des municipales de 1995, il rate, là encore, son élection de quelques voix, après une campagne très agitée.

Bruno Mégret défend une vision du Front National qui se veut « moderniste » et conquérante : *« Ma volonté est de faire évoluer le Front National pour le rendre apte à assumer les responsabilités du pouvoir. Ma préoccupation est essentiellement une préoccupation d'avenir et d'enracinement dans la société contemporaine telle qu'elle est, avec ses défauts, sans les éluder. Sur ce plan là, je me différencie peut-être un peu de certains qui ont plus une vision d'enracinement dans le passé et de témoignage intransigeant de leurs convictions. »*

Bruno Mégret est souvent présenté comme le partisan d'alliances entre le Front National et la droite classique. Il précise sa pensée : *« Il est clair qu'il n'est pas question d'alliances avec le RPR et l'UDF tels qu'ils sont. Eux et nous n'en voudrions pas. Mais il n'en demeure pas moins que, personnellement, je suis convaincu que l'une des voies privilégiées de réussite politique majeure pour le Front National c'est la possibilité d'une alliance avec une fraction rénovée du RPR et de l'UDF. Exactement comme cela s'est passé en Italie, même si Fini n'est pas nécessairement notre exemple. Le phénomène qui a débloqué le MSI, c'est une alliance, non pas avec les vieux politiciens de la démocratie chrétienne, mais avec une fraction rénovée de la classe politique qu'incarnait Berlusconi. Il n'est pas d'exemple, dans l'histoire, d'un mouvement politique qui soit arrivé tout seul au pouvoir, pas un seul exemple. »*

Pendant longtemps dauphin de Jean-Marie Le Pen, cet acteur du virage national-libéral du Front National, souvent contesté à l'intérieur du parti par le courant catholique qui lui reproche son passé d'« horloger » (qu'ils assimilent à la Nouvelle Droite) et son intellectualisme, voit aujourd'hui sa place de numéro deux sérieusement remise en question par l'arrivée d'un « poids lourd » au secrétariat général, Bruno Gollnisch.

Comme Bruno Mégret le reconnaît : « *La concurrence est le sel des activités humaines* ».

Bruno Gollnisch

D'un an plus jeune que Bruno Mégret, Bruno Gollnisch, originaire de Neuilly, est un pur produit de l'université française. Ses études à Nanterre ont été éclectiques et brillantes : diplômé en sciences politiques, diplômé d'études supérieures de défense, docteur en droit international. Spécialiste en langues orientales, il pratique le Japonais, le Malais et l'Indonésien. Bruno Gollnisch s'est orienté vers une carrière universitaire : attaché de recherche à la faculté de droit de Kyoto, maître-assistant à l'Université de Metz, puis professeur à l'Université de Lyon III dont il est le doyen de 1982 à 1986. Il est marié à une femme d'origine japonaise.

Bruno Gollnisch semble, à bien des égards, l'opposé de Bruno Mégret. Autant Mégret est de taille moyenne, mince et timide, autant Gollnisch est grand, de forte corpulence et de nature joviale. Leur passé politique aussi les sépare. Bruno Mégret est un ancien du gaullisme, Bruno Gollnisch fréquente la droite extrême depuis son adolescence. Il est un ex-cadre de la *Fédération Nationale des Etudiants de France*.

Tous les deux sont cependant également convaincus de la primauté du combat culturel sur l'action militante. Responsable de l'antenne lyonnaise du Cercle Renaissance, il adhère au Front National dès 1983. Il assume depuis 1984 les fonctions de secrétaire départemental de la fédération du Rhône.

Candidat assidu dans ce département à toutes les élections depuis les cantonales de 1985, il le représente à l'Assemblée Nationale de 1986 à 1988. Elu conseiller régional de Rhône-Alpes pour la première fois en 1986, il préside les vingt-neuf élus que compte le groupe Front National depuis 1992 au sein de l'assemblée de cette région. Sous son impulsion, le Front National devient le second parti du département du Rhône, avec des scores dépassant 20 %.

Sa carrière nationale au sein du parti lepéniste progresse rapidement. Il est élu député européen en 1989 et 1994, et apparaît comme un pilier du Groupe des Droites Européennes à Strasbourg. Chargé, en collaboration avec Jean-Yves Le Gallou, des argumentaires électoraux, il s'occupe un temps des relations internationales du mouvement frontiste avant de devenir son secrétaire général en octobre 1995, en remplacement de Carl Lang, démissionnaire depuis les universités d'été de Toulon.

Il a été formellement élu le 9 octobre par le bureau politique (vingt-six voix pour, deux bulletins blancs et quatre suffrages contre).

Bruno Gollnisch émerge de plus en plus, et se profile comme un nouveau numéro deux potentiel du Front National, au détriment de Bruno Mégret.

Les alliances avec une fraction de la droite ou les débauchages ne semblent plus à l'ordre du jour. Or, Bruno Mégret est l'incarnation de ce message qui, en dehors de la délégation générale, est aussi partagé par beaucoup de cadres.

Aujourd'hui, le Front National infléchit ce projet, qu'il a nourri sans grand succès, et joue à fond la carte du « retour aux sources », du recours, rejetant RPR-UDF et PS-PC dans une même opprobre.

Bruno Gollnisch, pur produit du nationalisme et du lepénisme, arrondissant les angles par sa formation d'universitaire, doit sûrement sa nomination à un autre atout. Très lié à Bernard Antony, on l'a souvent dans la presse présenté comme le « poulain » des catholiques traditionalistes. Sans nul doute, son accession au secrétariat général n'a-t-elle pu se faire sans leur accord.

Bruno Gollnisch peut-il devenir un jour le dauphin de Jean-Marie Le Pen ? Sans franchir le pas, de nombreux militants interrogés font souvent remarquer : *« C'est fou comme il ressemble à Jean-Marie Le Pen. Sa carrure, sa présence, sa culture, on dirait parfois son jumeau ! »*.

Bernard Antony – « Romain Marie »

Originaire du sud-ouest, Bernard Antony est né il y a cinquante-deux ans à Tarbes. Il a mené une carrière professionnelle dans l'industrie comme cadre d'entreprise puis chef de personnel, directeur de relations humaines.

Bernard Antony a souvent écrit sous le pseudonyme de « Romain Marie ». Il est désormais connu sous les deux noms. L'explication, selon l'intéressé, est simple. Bernard Antony a pour deuxième et troisième prénoms Romain et Marie. Tant qu'il a exercé une activité professionnelle et jusqu'à un article du *Monde* en date de 1983, il a préféré, par discrétion, adopter un nom de plume, « Romain Marie ».

Son entrée en politique est précoce. Elle a lieu dès l'origine au sein de l'extrême droite. Bernard Antony affirme lui même : *« Je suis entré en politique quasiment dès l'école primaire, et je n'en suis jamais sorti »*. Comme Obelix, il semble être tombé tout petit dans le chaudron, ce qui peut étonner lorsque l'on apprend qu'il est issu d'une famille apolitique. Son premier engagement est catholique. Bernard Antony milite à la Jeunesse Etudiante Catholique ; il appartient à son aile minoritaire de droite. Dès son adolescence, il s'engage également en faveur de l'Algérie française et, mineur (à 17 ans), il fait même de la prison, en raison de son appartenance probable à la branche jeune de l'OAS-Métropole.

A l'université, il milite dans plusieurs mouvements nationalistes, notamment dans le très pro-Algérie française *Rassemblement de l'Esprit Public* dirigé par Hubert Bassot (futur bras droit de Valéry Giscard d'Estaing, décédé accidentellement il y a quelques mois), puis au sein des Comités Tixier-Vignancour. Par la suite, il rejoint *Jeune Révolution* et le *Mouvement Solidariste Français*, aux côtés de Jean-Pierre Stirbois.

Dans le milieu des années soixante-dix, seul, de sa propre initiative, il développe plusieurs actions d'intérêt local qui finissent par acquérir une audience nationale. Il fonde en 1975 le mensuel *Présent*. En 1979, il crée le Comité de boycott international des Jeux Olympiques à Moscou. Bernard

Antony n'hésite pas une seule seconde à se définir comme un « *anticommuniste primaire, viscéral et systématique* ». C'est à cette occasion que, pour la première fois, il est amené à travailler avec Jean-Marie Le Pen. Le président du Front National est l'invité de Bernard Antony à une réunion organisée à Paris, salle de la Mutualité, pour contester les « jeux du goulag ». C'est également en 1979 qu'il fonde le *Centre Henri et André Charlier*, centre de culture catholique qui organise des universités d'été.

Bernard Antony est à l'origine des Journées d'Amitié Française qui regroupent, généralement à la fin de l'automne, à la Mutualité, de nombreuses officines d'extrême droite ainsi que des associations catholiques proches de Saint-Nicolas du Chardonnet ; selon les propres termes de Bernard Antony : « *tous ceux qui sont conscients du génocide français* ».

Il précise ici sa pensée : « *Le génocide français est un génocide par anesthésie. Bien sûr, il n'est pas sanglant comme le cambodgien, l'arménien ou le juif. C'est un génocide qui comporte plusieurs points : faire que les Français se sentent de moins en moins chrétiens, faire en sorte que les Français se sentent de moins en moins Français, puis, par la conjugaison de la politique d'avortement et de l'immigration, que les Français soient de moins en moins nombreux en France. Et ainsi, une population progressivement acculturée, dépossédée de son identité et de moins en moins nombreuse est vouée à la disparition* ».

Bernard Antony ne rejoint pas tout de suite le Front National : « *J'avais peur de ne pas avoir des relations faciles avec Jean-Marie Le Pen* ». Cependant des contacts réguliers se nouent, et c'est en concertation avec Le Pen que Bernard Antony entre en 1983 au CNI. La fédération du Tarn du CNI est alors présidée par l'ancien chef de cabinet d'Antoine Pinay et ancien député-maire de Gaillac, Henri Yrissou. Bernard Antony pense pouvoir poursuivre l'action de ce parrain politique local, et ainsi se faire élire dans le Tarn. Perçu assez vite par le CNI comme un sous-marin du Front National, il en est renvoyé à la suite de la parution d'un article d'une page entière signé Edwy Plenel dans *Le Monde*, qui éclaire au grand jour toutes ses activités politiques et religieuses.

Il entre définitivement au Front National à l'occasion de son élection lors des européennes de 1984, *« connaissant mieux l'homme Jean-Marie Le Pen »*. Bernard Antony avoue toutefois qu'il n'est pas toujours en accord avec toutes ses prises de position : *« Je parle très librement, c'est un ami très cher. Je ne suis pas un godillot de Jean-Marie Le Pen. Il sait pertinemment que je défends une ligne, des idées, un combat. J'ai à son égard un comportement de type féodal, c'est-à-dire une parole donnée »*.

Nouveau membre du bureau politique, Jean-Pierre Stirbois lui confie alors l'organisation des universités du Front National qui restent aujourd'hui toujours de son ressort. Jean-Marie Le Pen vient de le nommer, en 1996, délégué auprès de lui aux actions culturelles.

Il mène également une carrière politique dans sa région d'origine, Midi-Pyrénées, dont il est conseiller régional depuis 1986. Il tente depuis de s'implanter à Castres en se présentant dans cette circonscription à toutes les élections.

Surnommé l'« ayatollah cassoulet », peu avare de déclarations tonitruantes, cet ami de Monseigneur Lefèbvre, qui a rompu avec le clergé intégriste de la Fraternité Saint-Pie X lors du schisme de 1988, est la figure emblématique, au sein du Front National, des catholiques traditionalistes.

Ceux-ci, grâce à son influence personnelle auprès de Jean-Marie Le Pen, ont acquis ces dernières années un poids considérable dans la structure frontiste.

Bernard Antony est (en coulisses) l'un des plus farouches adversaires de la tendance néo-païenne représentée par les ralliés issus du GRECE, et dans une moindre mesure, par certains des transfuges du Club de l'Horloge. Il se reconnaît ainsi parfaitement dans le nouvel organigramme, principalement au travers de la nomination de Bruno Gollnisch au secrétariat général.

Marie-France Stirbois

Marie-France Charles est née le 11 novembre 1944 dans une famille parisienne patriote. Sa mère, emprisonnée par les Allemands, est titulaire de la Croix de guerre avec palmes, tandis que ses deux sœurs aînées travaillèrent pour la Résistance.

Les Charles se séparent du général De Gaulle à l'occasion des événements d'Algérie. Ils ne partagent pas son analyse, favorable à l'autodétermination puis à l'indépendance, et rejoignent les rangs des partisans de l'Algérie française. A vingt ans, Marie-France s'engage donc au sein des Comités Tixier-Vignancour. Etudiante en anglais à la faculté de Nanterre en vue du professorat, elle s'oppose activement aux étudiants de gauche en mai 1968. Elle fait, à cette occasion, la connaissance de Bruno Gollnisch.

Marie-France Charles rencontre Jean-Pierre Stirbois en militant à *l'Alliance Républicaine pour les Libertés et le Progrès*. Elle le suit au mouvement solidariste. Jean-Pierre Stirbois, disciple d'Henry Coston, participe avec Pierre Sergent à la fondation du mouvement *Jeune Révolution*, groupuscule d'extrême droite auquel s'agrègent de futurs cadres du Front National : Bernard Antony, Christian Baeckeroot et Michel Collinot (pour les plus connus d'entre eux). En 1972, Stirbois ne participe pas à l'aventure de la fondation du Front National mais suit les dissidents les plus activistes d'*Ordre Nouveau* en devenant le trésorier du *Groupe Action Jeunesse*.

Jean-Pierre et Marie-France Stirbois, qui sont totalement imperméables aux opinions de gauche (c'est le moins que l'on puisse dire) finissent par rejoindre le Front National en 1977, et créent avec leurs amis, au sein de celui-ci, un pôle d'«union solidariste». C'est à partir de cette date qu'ils s'implantent en Eure-et-Loir, à Dreux.

Hormis aux élections législatives de mars 1978, où elle affronte en tant que suppléante Georges Marchais dans le Val-de-Marne, et celles de juin 1981 où elle est candidate à Paris, Marie-France se présente régulièrement en compagnie de son mari aux suffrages des Drouais. Au mois de mars

1982, elle rassemble près de 10 % des suffrages lors de la cantonale de Dreux-sud. En mars 1986, elle est élue conseiller régional de la région Centre, mais est battue aux législatives par la liste de droite RPR dissidente menée par Martial Taugourdeau et Maurice Dousset. Lors des législatives de juin 1988, à Dreux toujours, face à Françoise Gaspard (PS) et à Maurice Taugourdeau (RPR), elle ne peut passer le premier tour avec 16 % des suffrages. En 1989, aux municipales, elle prend la relève de son mari – décédé accidentellement six mois plus tôt – et obtient aux deux tours un score identique de 22 %.

Cette année-là, elle ne figure pas sur la liste des européennes. Elle s'oppose violemment à Jean-Marie Le Pen, qui l'a reléguée au-delà de la vingtième place, et, plutôt que de se soumettre, préfère se démettre et ne pas se présenter, purement et simplement.

C'est à l'occasion de la législative partielle du 26 novembre 1989 que sa carrière politique prend une dimension d'envergure nationale. Face au RPR Michel Lethuillier (18 %), elle obtient dès le premier tour le score de 42,5 % des suffrages ; elle est élue huit jours après, malgré le « front républicain », avec 61 % des voix. Marie-France Stirbois, qui se décrit alors comme « une résistante nationale », est consciente de l'enjeu pour elle et le Front National : seule représentante à l'Assemblée Nationale du parti lepéniste, qui plus est, élue au scrutin majoritaire.

Elle devient, à partir de son élection, la vitrine du Front National qui joue sur son image de femme pour la médiatiser au maximum.

Chef de file officieuse de la faction des « durs » du Front National (les anciens d'avant 1984), elle se rapproche des catholiques et accède au début de l'année 1990 au bureau politique. Réélue conseiller régional de la région Centre en 1992, elle préside depuis cette date le groupe Front National du conseil.

Marie-France Stirbois perd son siège de député en mars 1993, et ne retrouve une fonction de parlementaire qu'en 1994, lors des élections européennes. La revanche est alors complète puisqu'elle figure cette fois-ci dans la tête de la liste, cinq places derrière Jean-Marie Le Pen. Lors des élections municipales de 1995, la liste Front National emmenée par Marie-France Stirbois à Dreux stagne au premier tour à son score habituel, avec 23 % des suffrages. Au second tour, elle est distancée par le député RPR Gérard Hamel.

Les courants de pensée : les catholiques, les « horlogers », les néo-païens de la Nouvelle Droite, les « populistes »

De manière officielle le Front National, à l'image d'autres partis comme le RPR, n'est pas organisé en courants. Pourtant, tel celui que nous venons de nommer, il connaît des sensibilités diverses, des tendances. Elles sont masquées au public par la personnalité de Jean-Marie Le Pen. Cependant elles existent.

Le Front National n'est pas, en réalité, une organisation idéologique monolithique mais plutôt un rassemblement pragmatique de différents courants nationalistes. Il a de plus, au fil de son développement électoral, séduit successivement plusieurs couches non homogènes de nouveaux arrivants. D'une manière très caricaturale, il est possible d'affirmer qu'au départ nous trouvons les activistes d'Ordre Nouveau et les nationaux conduits par Jean-Marie Le Pen. Puis viennent les solidaristes issus de l'extrême droite populaire, qui chassent (en partie) les éléments activistes les moins « fréquentables ». Au début des années quatre-vingt, c'est au tour des catholiques traditionalistes de rejoindre le Front National, suivis bientôt de cadres de la droite classique séduits par le national-libéralisme d'inspiration reaganienne (les « horlogers », par exemple). Enfin, à partir de 1988, quelques éléments parmi les plus marqués de la Nouvelle Droite (du GRECE, essentiellement) franchissent le pas, et abandonnent le pur combat culturel ou « métapolitique » pour une action plus militante. Tous ces différents « courants » ont tenté d'infléchir et ont influencé chacun l'orientation du Front National. La ligne véritable de fracture au sein du parti lepéniste ne passe pas, comme il l'a souvent été présenté, entre «durs» et «modérés», mais entre quatre sensibilités principales, caractérisées par l'origine politique et sociologique des cadres frontistes qui en sont issus.

Des lignes de convergences les rassemblent toutefois, l'adhésion à l'Algérie française ou la peine de mort par exemple.

Les catholiques

«Intégristes» de Saint-Nicolas du Chardonnet ou «catholiques de tradition» des Comités Chrétienté-Solidarité, les catholiques sont très présents au Front National. Ils en représentent à l'heure actuelle l'une des principales forces.

Quasiment absents de l'aventure lepéniste des années soixante-dix, ils ne rejoignent massivement le Front National qu'au tout début des années quatre-vingt, lorsque Jean-Marie Le Pen fait de plus en plus référence à Dieu et à Jeanne d'Arc dans ses interventions. Il est possible de dater symboliquement leur entrée officielle à 1984, date de l'adhésion de Bernard Antony.

L'apport s'avère loin d'être négligeable. Les catholiques traditionalistes refusant Vatican II se sont organisés durant les années soixante-dix autour de Monseigneur Lefèbvre et de son clergé. La Fraternité Saint-Pie X et le séminaire d'Ecône deviennent alors les points névralgiques d'une nébuleuse catholique nationaliste, autour desquels gravitent de nombreuses associations, souvent puissantes sur le plan financier.

En 1977, ils investissent l'église de Saint-Nicolas du Chardonnet pour en faire le fief de leur «résistance». Adversaires du concile et de ses «errances», opposés de manière farouche à l'avortement, de sensibilité monarchiste ou nationaliste, les brebis de ce troupeau perdu sont à la recherche d'une expression politique. Ils finissent par la trouver dans le Front National qui ne semble pas trop éloigné de leur sensibilité et, de plus, a réussi à émerger au niveau national.

Le Front National y trouve bien entendu son avantage.

Au travers des Comités Chrétienté-Solidarité, par exemple, le mouvement lepéniste déniche des responsables dans des régions où, jusque-là, il était quasiment absent, tel l'ouest de la France.

Notons que les chrétiens du Front National récusent dans leur ensemble le terme d'« intégriste ».

Pour Bernard Antony : « *Aujourd'hui, lorsque l'on parle d'un intégrisme islamique on fait allusion au terrorisme. A la télévision française, lorsque l'on parle du ramadan, on respecte les musulmans qui font le ramadan. Mais lorsque nous nous respectons le carême, suivons les préceptes du credo et restons fidèles à Jean-Paul II, on dit que nous sommes intégristes. Intégriste, je ne sais pas ce que ça veut dire. Je suis catholique. Point. Fidèle au catéchisme de l'Eglise catholique* ».

Depuis le schisme de 1988, les catholiques anti-conciliaires se sont séparés. Bernard Antony, pourtant très ami de Monseigneur Lefèbvre, a rompu à cette occasion avec le clergé de la Fraternité Saint-Pie X. Avec les comités Chrétienté-Solidarité il est demeuré fidèle au Pape.

Deux mouvances, souvent complémentaires, peuvent être distinguées parmi les catholiques du Front National.

La plus nombreuse est représentée par les catholiques issus du *Centre Henri et André Charlier*, association culturelle de quelques centaines de membres, et de *Chrétienté-Solidarité*, avec à leur tête Bernard Antony.

C'est Chrétienté-Solidarité qui, depuis 1984, a fourni un nombre important de cadres au parti lepéniste. Bernard Antony se défend toutefois de l'existence d'un courant catholique au Front National dont il serait le chef : « *C'est une tarte à la crème. C'est l'ensemble du mouvement, d'une manière unanime, à quelques exceptions, qui respecte l'âme chrétienne de la France. Ce n'est pas sur ce plan là que je pourrais être un chef de tendance, puisqu'à ce moment-là je serais véritablement le représentant de 98 % du mouvement* ».

La seconde, la plus marginale car élitiste, provient du groupe ICTUS dont le siège est rue des Renaudes à Paris.

Sous la conduite de maître Jacques Trémolet de Villers, ICTUS réunit des cadres originaires des mondes politique, économique et social. Leur but commun est de mettre en application, dans leur lieu de travail, la doctrine sociale de l'Eglise. ICTUS rassemble des catholiques de diverses sensibilités. Certains sont exclusivement attachés à la messe de Saint-Pie V, d'autres suivent le rite de Paul VI. Tous ont cependant en commun d'être fidèles à Jean-Paul II et à son message, dans lequel ils se reconnaissent « à 200 % ». Ils sont « papistes » avant tout.

Sur le plan politique, ils sont loin d'être tous frontistes. La majorité d'entre eux n'est d'ailleurs pas encartée et côtoie tantôt des adeptes de Philippe de Villiers, tantôt des lepénistes, voire quelques personnalités de la majorité RPR-UDF, comme Pierre Bernard ou Christine Boutin. A l'instar du Club de l'Horloge, ICTUS sert de lieu de rencontre discret entre certains membres de la droite classique et du Front National.

L'influence des catholiques, habituellement dénommés « intégristes » (malgré le démenti de Bernard Anthony) ou « traditionalistes », reste déterminante au sein du Front National. Leurs luttes contre l'avortement tiennent par exemple une place grandissante dans le programme et les actions du mouvement lepéniste. Un de leurs proches, Bruno Gollnisch, est depuis peu secrétaire général. Il contrebalance l'emprise plus laïque (et toujours réelle) de Bruno Mégret et de ses amis sur Jean-Marie Le Pen.

Les « horlogers »

Les membres du Club de l'Horloge sont nombreux au Front National. Beaucoup parmi les proches collaborateurs de Jean-Marie Le Pen sont issus de ce club très élitiste de la droite conservatrice française. Yvan Blot, Bruno Mégret, Jean-Yves Le Gallou en sont les exemples les plus connus. Leur arrivée n'a pas satisfait tout le monde au Front National. Ainsi Jean-Claude Martinez, qui n'a pas rejoint le RPR du fait entre autres de ses mauvaises relations avec

Yvan Blot, s'en est-il plaint publiquement, dénonçant à l'*Événement du Jeudi* « *la mainmise des horlogers* » (terme dont il est l'inventeur) sur le Front National. Il évoque aussi parfois « *ces messieurs du club de la pendule* ».

Le Club de l'Horloge se présente comme un club de réflexion, le plus prestigieux sans doute de la droite française. Fondé en 1974 par de jeunes haut-fonctionnaires, son existence n'est révélée au grand public qu'au cours de l'été 1979, lors de la campagne de presse sur la Nouvelle Droite. Assimilé trop rapidement à elle, il n'a en réalité comme seuls points communs avec celle-ci que l'origine grèciste de certains de ses dirigeants. Il s'en est très vite éloigné. Il ne partage en effet ni son paganisme ni son anti-libéralisme. Son orientation idéologique est résolument nationaliste, plus précisément nationale et traditionaliste pour tout ce qui a trait aux valeurs, et libérale en économie.

En quelque sorte, la doctrine du Club de l'Horloge s'apparente à un « reaganisme à la française ».

Proche jusqu'au milieu des années quatre-vingt du RPR, et dans une moindre mesure de l'UDF, il exerce à ce moment une réelle influence sur l'orientation de ceux-ci, du fait principalement des places occupées par ses membres dans les cabinets politiques. Il est notamment à l'origine de la plate-forme électorale RPR-UDF pour les élections législatives de 1986. Les horlogers publient un nombre impressionnant d'ouvrages de réflexion et organisent des colloques auxquels participent les principales figures de la droite intellectuelle et politique de l'époque.

Convaincu de la nécessité d'une union du RPR et de l'UDF avec le Front National pour battre les socialistes, le club milite activement en ce sens à partir de 1984.

De ce temps date le début de la rupture avec la droite classique.

Critiqué par les centristes et dénoncé par Simone Veil comme un repaire d'extrémistes de droite, le club voit son audience et son crédit s'affaiblir auprès des dirigeants gaullistes et libéraux. Le phénomène est bientôt accentué par l'adhésion de plusieurs de ses membres au Front National à partir de 1985, tels Jean-Yves Le Gallou et Bruno Mégret.

Depuis 1989, année où Yvan Blot adhère à la structure lepéniste, les ponts ont été presque totalement coupés, du moins officiellement, avec la droite institutionnelle.

Le Club de l'Horloge n'est cependant pas entièrement marginalisé puisqu'il compte plusieurs amis dans l'entourage immédiat d'Alain Madelin et s'est grandement rapproché, à partir de 1993, de Philippe de Villiers, un autre champion du conservatisme crypto-catholique.

L'actuel président du Club de l'Horloge, Henry de Lesquen, n'est pas membre du Front National. En dépit de cela, l'assimilation semble aujourd'hui quasi-intégrale entre les deux organismes : nombre de têtes pensantes du club sont passées au Front National, qui, à son tour, fournit la plupart de ses membres au Club de l'Horloge.

Les « horlogers » représentent le courant le plus « libéral » du Front National. Derrière la bannière de Bruno Mégret, ils militent pour une stratégie de conquête du pouvoir au moyen d'alliances avec les éléments les plus conservateurs de la droite parlementaire.

Triomphante dans les années 1986-1990, cette sensibilité semble perdre peu à peu du terrain au Front National. Les « horlogers » sont critiqués à la fois par les catholiques et les « populistes » qui leur reprochent leur côté trop rationnel, élitiste et technocratique.

Les néo-païens de la Nouvelle Droite

L'influence de la *Nouvelle Droite* sur le Front National date d'il y a peu. Certes, des individualités qui en étaient issues avaient rallié le parti de Jean-Marie Le Pen depuis de nombreuses années, mais pour l'essentiel les figures originaires du GRECE n'ont pas osé franchir le pas officiel de l'adhésion avant la fin des années quatre-vingt.

La Nouvelle Droite, dont l'existence est révélée aux Français durant l'année 1979 par une vaste campagne de presse déclenchée par le *Nouvel Observateur* et *Le Monde,* c'est le GRECE.

Le *Groupement d'Etudes et de Recherches sur la Civilisation Européenne,* fondé par Alain de Benoist en 1968, est une association culturelle et non de politique militante. Ses membres, influencés par le philosophe italien communiste Gramsci, sont persuadés que pour gagner le combat politique il faut d'abord vaincre les mentalités sur le plan culturel. C'est cette démarche qu'ils appellent la « métapolitique ». Les principales caractéristiques de leur pensée : la primauté du politique sur l'économie, un anti-libéralisme affirmé avec un rejet du modèle marchand américain, un inégalitarisme prononcé ainsi qu'un paganisme débridé. En effet, selon eux, les maux de la société française proviendraient en priorité de la perte de notre identité indo-européenne, annihilée par l'égalitarisme judéo-chrétien. Pour retrouver notre identité il suffit par conséquent de se ressourcer dans le paganisme pré-chrétien. Ces théories, conjuguées à un certain eugénisme, ont permis de classer le GRECE à l'extrême droite.

La campagne de 1979 casse l'élan du GRECE, qui végète durant les années quatre-vingt. Nombre de ses membres le quittent, déçus de l'attitude hésitante d'Alain de Benoist. Ils ne rejoignent pas le Front National dans l'immédiat. En effet, Jean-Marie Le Pen et son parti, sous l'emprise des « horlogers », défendent des positions radicalement opposées aux leurs (libéralisme économique et sympathie envers les Etats-Unis). Le ralliement ne s'opère qu'à la fin de 1988, lorsque Pierre Vial, l'un des dirigeants marquants du GRECE, décide d'adhérer au Front National et invite nombre de ses amis à le suivre. La raison déterminante de ce changement demeure inconnue. Officieusement, Pierre Vial aurait souhaité influer sur le discours du Front National et lui donner une cohérence idéologique d'ensemble, dans un sens plus favorable à la pensée de la Nouvelle Droite.

Les principales figures de la Nouvelle Droite néo-païenne

au Front National sont le lyonnais Pierre Vial et l'écrivain Jean Mabire.

L'impact de la Nouvelle Droite est assez perceptible à partir de l'année 1989, car, à cette époque, le discours frontiste à l'égard des Etats-Unis change de manière radicale. Il passe d'un pro-reaganisme conquérant à une circonspection réservée. Ainsi, l'attitude de Jean-Marie Le Pen lors du conflit du Golfe peut certainement s'expliquer par cette influence, de même que les nouveaux liens qu'il tisse à Cuba. Les circonstances internationales, comme la chute de l'empire soviétique, expliquent également ce virage.

La Nouvelle Droite, réservée sur le nationalisme, a toujours défendu l'idée d'une « grande Europe » par une alliance avec les nationalistes russes. C'est peut-être une clef d'explication, parmi d'autres, du récent voyage du président du Front National en Russie à l'invitation du leader ultranationaliste Vladimir Jirinovski, et des accords étranges qui s'en sont suivis.

Il ne faut toutefois pas surestimer le poids de la Nouvelle Droite païenne au sein du Front National. Il est de nos jours mineur. Cette mouvance n'a pu peser autant qu'elle aurait pu l'escompter, du fait de la farouche opposition des catholiques et de Bernard Antony, qui se sont ingéniés à contrecarrer systématiquement son action. Ils semblent pour l'instant y avoir réussi.

Les « populistes »

Les « populistes » représentent certainement un des courants les moins nombreux en termes de cadres et d'influence, mais le plus important si on prend en compte les militants de base.

Les « populistes » (le terme n'est pas totalement satisfaisant) représentent la vision la plus populaire du nationalisme lepéniste. Issus de milieux relativement modestes, à l'inverse des « horlogers » ou de beaucoup de catholiques, ce sont souvent des « anciens » du Front National, à l'exemple des solidaristes.

Orphelins depuis la disparition de Jean-Pierre Stirbois, qui en est le parfait prototype, ils se reconnaissent parfaitement en Jean-Marie Le Pen. Les principaux représentants de cette sensibilité plus à « gauche », si l'on peut dire, que les précédentes sont : Roger Holeindre, Jean-Claude Martinez, Michel Collinot et dans une moindre mesure Carl Lang (ce dernier est également néo-païen).

Ils ne possèdent pas d'unité idéologique très affirmée, mais se retrouvent dans quelques thèmes majeurs comme le patriotisme populiste ou l'anti-européanisme primaire. Ils se définissent au travers d'une fibre résolument populaire, à l'image de la gauche nationaliste d'avant-guerre, et par le rejet du national-libéralisme conservateur de ceux qu'ils appellent les « bourgeois » du Front National. Ils sont également éloignés des traditionalistes de Bernard Antony. Ils regardent donc en simple spectateurs ce qu'ils nomment « la guerre des deux Bruno » (Mégret et Gollnisch).

Leur force : ils sont en adéquation avec un nombre croissant de militants, principalement ceux issus de la gauche socialiste et communiste. Leur faiblesse : une absence de poids dans la structure. Leur crainte : *« voir l'aspiration patriotique du peuple trahie »* par une alliance avec des éléments de la droite catholique (villieristes) ou conservatrice et libérale (RPR-UDF).

Les idéologues

Le Front National a su séduire quelques hommes attirés dans le combat politique par les idées plus que par la seule action électoraliste.

Ces « intellectuels », la plupart du temps issus de partis institutionnels, ont pu trouver au Front National un écho bienveillant à leurs préoccupations. En retour, ils ont influencé à leur tour la doctrine du mouvement nationaliste, ainsi que les discours de Jean-Marie Le Pen. Ils sont devenus les « idéologues » du lepénisme, et à ce titre, occupent un rang de tout premier plan dans la galaxie Le Pen.

Jean-Claude Martinez

Agé de cinquante et un ans, né à Sète d'une famille d'origine espagnole, Jean-Claude Martinez, comme Bruno Gollnisch, est un pur universitaire. Après de brillantes études, il est reçu (l'un des plus jeunes) à la difficile agrégation de droit public. Après avoir enseigné à la Sorbonne, à l'ENA du Maroc puis à la faculté de droit de Montpellier, il est nommé à l'Université de droit, d'économie et de sciences sociales de Paris II, Panthéon-Assas. Il est aujourd'hui titulaire en deuxième année de DEUG de la chaire de finances publiques et assure les cours de fiscalité du DEA de finances publiques et fiscalité. Jean-Claude Martinez, auteur de nombreux ouvrages, est reconnu par ses pairs français et étrangers comme un expert en fiscalité contemporaine, même si les conclusions issues de ses analyses ne sont pas partagées par tous.

Si la politique est pour lui une passion, son goût le porte aussi vers... la variété. Il aurait ainsi écrit de nombreuses chansons comme parolier et produit quelques disques, il y a plusieurs années, avant d'entrer au Front National.

Jean-Claude Martinez reste un frontiste atypique : par exemple, selon une légende maintenant enracinée, son premier engagement politique aurait eu lieu comme militant socialiste. Il aurait quitté celui-ci après la victoire de François Mitterrand en 1981 ! La réalité est différente. Ce mythe provient du fait que, jeune étudiant, il rédige en 1969 un mémoire sur *La psychanalyse du PS*, et, pour ses recherches assiste aux côtés de Jules Moch aux congrès socialistes d'Alfortville et d'Issy-les-Moulineaux. De là naît une confusion, souvent entretenue de bonne foi par la presse (cf. *Le Monde* 18 avril 1986).

Remarqué par le secrétaire général du RPR, Bernard Pons, au début des années quatre-vingt alors qu'il rédige sa *Lettre ouverte aux contribuables*, celui-ci lui propose de le prendre auprès de lui comme consultant en fiscalité. Le projet échoue de peu, devant le manque d'enthousiasme de proches de Bernard Pons, en particulier d'Yvan Blot qui, selon Jean-Claude Martinez, lui aurait alors déclaré : « *Au sens de Konrad Lorenz vous allez marcher sur nos plate-bandes. C'est inacceptable ».*

Fondateur des *Conventions pour l'Avenir*, il rejoint le Front National à l'occasion de la stratégie de « rassemblement national » élaborée pour les élections législatives de 1986. Une campagne de presse de *Rivarol* dénonce ce ralliement, accusant Jean-Claude Martinez du crime inexpiable de « gaullisme ».

Tête de liste dans son département de l'Hérault, il est élu député le soir du 16 mars. Il se fait remarquer à l'Assemblée Nationale par ses nombreux rappels au règlement, souvent tatillons, qu'il soulève en fouinant dans les textes, au nom du groupe Front National. La majorité lui confie un jour le soin d'être rapporteur sur le budget de l'éducation nationale. Il en profite pour faire un constat sévère et exposer, de manière non conventionnelle et polémique, ses idées en ce domaine. Il ne sera plus jamais rapporteur. Il est battu au scrutin majoritaire en 1988 avec un score honorable au premier tour, 20 % des suffrages. Après une tentative non réussie de parachutage à Perpignan (suite au décès de Pierre Sergent), il préfère revenir « chez lui », dans sa région d'origine. Conseiller régional de Languedoc-Roussillon, il est le chef de file frontiste de l'opposition à Georges Frêche, le maire de Montpellier.

Conseiller très écouté du président du Front National, Jean-Claude Martinez est la « boîte à idées » du parti. Ses principaux apports sont de trois ordres :

– résolument anti-européen, opposé même à toute Europe confédérale des patries, il milite en ce sens et s'oppose aux partisans de celle-ci, tel Bruno Mégret qui en 1986 (lors d'un discours à l'Assemblée Nationale) s'était déclaré non totalement hostile à l'Acte Unique. Il ne réussit pas à convaincre dans l'immédiat, et paie cet ultra-nationalisme en 1989 d'une onzième place aux européennes. Cependant, l'anti-européanisme progresse chez les militants pour culminer en 1992, lors de la campagne de Maastricht. Jean-Claude Martinez, champion de cette cause, se retrouve en 1994 parmi les têtes de liste frontistes aux européennes. C'est lui

qui a introduit au Front National la thèse résolument pro-
tectionniste ;

– économiquement libéral, il est le partisan de la suppression de l'impôt sur le revenu en France, thèse à laquelle il a
converti dès 1986 Jean-Marie Le Pen. La suppression de
l'impôt sur le revenu est la clef de voûte du système fiscal
développé aujourd'hui par le Front National ;

– son autre centre d'intérêt est l'agriculture, qu'il défend
au sein du Parlement européen. Il sensibilise à ce sujet Jean-
Marie Le Pen, et dote le Front National de son programme
agricole, lors du congrès de Port-Marly de janvier 1994.

Une autre de ses préoccupations, l'Outre-Mer : il est ainsi
le président de l'Association de Défense de la Nouvelle-Calédonie Française.

Jean-Claude Martinez est le principal organisateur, grâce
à ses relais irakiens, du voyage de Jean-Marie Le Pen à
Bagdad, en automne 1990.

D'un esprit vif sans aucun doute, de tempérament méditerranéen, amateur de plaisanteries et de jeux de mots à
l'emporte-pièce, Jean-Claude Martinez est l'un des dirigeants du Front National les plus appréciés des militants,
juste après Jean-Marie Le Pen. Ses interventions, lors des
universités d'été, sont toujours suivies avec attention par un
auditoire nombreux.

Jean-Claude Martinez n'est pas seulement reconnu au
sein du Front National. Il garde un capital de sympathie
chez plusieurs dirigeants du RPR et de l'UDF, qui ne dé-
sespèrent pas de le voir un jour revenir vers eux. Il aurait
même gardé des amis au sein de la gauche, notamment chez
des collègues universitaires, ou au Parlement européen.

Jean-Yves Le Gallou

*« L'immigration de masse ne s'explique pas par les besoins
économiques des Français, mais par l'attrait suscité par nos
avantages sociaux qui jouent auprès des populations du tiers-
monde le rôle d'aimant. Pour sauvegarder leur identité et leur
souveraineté, les Français doivent pouvoir réaffirmer avec vi-*

gueur le principe de la "préférence nationale", qui légitime les nécessaires différences de droits politiques et sociaux entre citoyens et étrangers. Oui, maîtriser l'immigration est possible». L'auteur de ces lignes en 1985 : Jean-Yves Le Gallou. Il est l'un des fondateurs du Club de l'Horloge, et l'inventeur du terme de «préférence nationale».

D'origine bretonne, né à Paris en octobre 1948, Jean-Yves Le Gallou est successivement diplômé de l'Institut d'Etudes Politiques de Paris, puis élève de l'Ecole Nationale d'Administration.

Il est, avec Yvan Blot, l'un des rares énarques du Front National.

Ses premiers engagements politiques ont lieu en 1968 au sein du GRECE, dont il dirige un cercle déconcentré à Sciences-Po, puis à partir de 1974 au Club de l'Horloge. Il demeure le secrétaire général de ce dernier organisme jusqu'en 1985, date de son ralliement au Front National. Sa carrière politicienne débute pourtant au sein de la droite libérale, au Parti Républicain. Proche de François Léotard et d'Alain Madelin, il devient membre du bureau politique au cours de l'année 1982. Il est ensuite élu aux élections municipales de 1983 à Antony, dans les Hauts-de-Seine, sur la liste RPR-UDF conduite par Patrick Devedjian, qui en fait alors son adjoint aux affaires culturelles.

Déjà proche du Front National par les idées qu'il a défendues au Club de l'Horloge, partisan résolu de l'union de toutes les droites anti-socialistes, il quitte l'UDF en 1985 pour se retrouver candidat, derrière Jean-Pierre Stirbois, dans les Hauts-de-Seine, lors des élections législatives de mars 1986. Battu, il se voit offrir en guise de consolation le poste de secrétaire général du groupe Front National à l'Assemblée Nationale par Jean-Marie Le Pen. Depuis, il essaie d'implanter le Front National dans ce département et tente en vain de ravir au maire communiste Dominique Frelaut la mairie de Colombes. Président du groupe Front National au Conseil régional d'Ile-de-France, face à l'absence de majorité absolue du RPR et de l'UDF à l'intérieur de cette assemblée, il essaie aujourd'hui de déstabiliser l'exécutif régional présidé par l'ancien ministre Michel Giraud. En février 1996, il réussit à faire voter trois mesures, en particulier une subvention à une association proche des commandos anti-IVG, et laisse à dessein planer le doute sur un éventuel accord de circonstance avec la majorité régionale. La thèse de l'entente, même ponctuelle, ne semble pourtant pas une hypothèse plausible, Michel Giraud ayant toujours combattu fermement le Front National. L'opposition de gauche et écologiste s'interroge néanmoins : *« Compromis avec l'extrême droite ? Bienveillance à l'égard de la mouvance ultra-conservatrice ou traditionaliste ? Renvois d'ascenseur avec le Front National ? »*.

Peu médiatique (il s'est pourtant fait connaître en 1995 pour avoir publiquement été giflé, en direct sur France 3, par Patrick Balkany qu'il avait traité de « voleur »), il est en réalité un des « cerveaux » du Front National. Délégué national aux études, secrétaire national aux élus, il rédige pour l'essentiel les argumentaires électoraux et les plaquettes de formation du Front National. Il est par exemple l'auteur, en collaboration avec Bruno Gollnisch, de la plate-forme de 1986. Jean-Yves Le Gallou reste, aujourd'hui encore, très imprégné par les théories de la Nouvelle Droite néo-païenne.

Yvan Blot

Issu d'une famille franco-polonaise, Yvan Blot est né la même année que Jean-Yves Le Gallou. Leurs parcours se ressemblent d'ailleurs étrangement à maints égards.

Ses goûts personnels pour la politique et la culture le conduisent à l'Institut d'Etudes Politiques de Paris, puis à l'Ecole Nationale d'Administration.

Il fait ses premières armes militantes à la fin des années soixante au sein de la Nouvelle Droite. Il aurait été, au GRECE, l'un des utilisateurs du pseudonyme « Michel Norey », avec les fonctions de délégué aux études et aux recherches. Il anime en 1968 à Sciences-Po un groupe gaulliste pour contrer les actions des associations « gauchistes ». Il est à sa sortie de l'ENA, en 1974, l'un des principaux fondateurs du Club de l'Horloge qu'il préside sans discontinuité jusqu'en 1985.

Son diplôme d'énarque lui permet de conduire très vite une carrière professionnelle mâtinée de politique. Après avoir travaillé au ministère de l'Intérieur, chez Michel Poniatowski, il est nommé en 1978 au cabinet du président du Sénat, Alain Poher. Proche du RPR depuis la fondation de ce dernier par Jacques Chirac, en décembre 1976, il est bientôt remarqué par le couple Marie-France Garaud-Pierre Juillet. Il assume, dès 1978, les fonctions de directeur de cabinet du secrétaire général du mouvement gaulliste. Il est à ce titre le plus proche collaborateur d'Alain Devaquet, puis de Bernard Pons. Yvan Blot est surtout l'un des «nègres» de Jacques Chirac, qui le fait entrer dès 1979 au comité central.

Il quitte en 1983 le cabinet du secrétaire général, afin de se mettre au service de Charles Pasqua au groupe RPR du Sénat. De 1984 à 1988, il est, avec Alain Marleix, l'un des «Pasqua's boys» les plus actifs et les plus fidèles. Il accompagne son «patron» lorsque celui-ci entre au ministère de l'Intérieur, sous le gouvernement de cohabitation de Jacques Chirac. Il mène en parallèle une carrière locale dans le Nord, comme secrétaire départemental de la fédération RPR du Pas-de-Calais. Lors des élections municipales de 1983, il tente de ravir la mairie communiste de Calais, mais est devancé par un concurrent issu des rangs de l'UDF. En 1985, il est élu conseiller général, puis, en 1986, il conquiert un siège de député dans ce même département. Il ne peut retrouver son mandat après la dissolution de 1988.

Ferme défenseur, au sein du RPR, d'une ligne favorable aux alliances électorales avec le Front National, il se retrouve de plus en plus marginalisé au sein de l'appareil chiraquien. Il connaît relativement bien le Front National et ses dirigeants depuis plusieurs années, d'abord comme président du Club de l'Horloge (beaucoup de ses amis du club ont déjà rallié la formation lepéniste), puis comme chargé officieux, au RPR, des questions relatives à l'extrême droite. Alors qu'il a le plus grand mal à négocier une place éligible sur la liste RPR-UDF pour les européennes de 1989, Jean-Marie Le Pen lui promet d'être parmi ses têtes de liste, en cinquième position, s'il rejoint officiellement le Front National avant le scrutin. Sans prévenir personne au RPR, il quitte le 18 mai le rassemblement gaulliste pour adhérer au Front National, prétextant que : « *Seul le Front National défend l'idéal d'Europe des patries du général De Gaulle* ». Il fait partie le 18 juin du contingent des élus frontistes à l'assemblée de Strasbourg. Après une vaine tentative d'implantation dans le Var contre la dissidente Yann Piat, il décide de s'installer en Alsace, autre région particulièrement favorable aux thèses du lepénisme. Conseiller régional d'Alsace depuis 1992, il est réélu député européen en 1994. Il est au Parlement européen, avec nombre d'euro-députés français de toutes tendances, l'un des plus farouches défenseurs du maintien du siège de l'assemblée à Strasbourg.

Yvan Blot est essentiellement un idéologue, profondément marqué par les théories de la Nouvelle Droite sur le combat culturel et l'action politique. Conseiller de Jean-Marie Le Pen, il incarne l'une des tendances les plus affirmées du national-libéralisme reaganien. Admirateur du système politique suisse, il prône la démocratie directe et le référendum d'initiative populaire. Fondateur de l'*Association pour le Développement de la Démocratie Directe* ou « A3D », il est à l'origine de l'adoption par le Front National de cette idée en définitive très conservatrice, puisque permettant au peuple de revenir sur les décisions de ses dirigeants.

La jeune génération : les « bébés Le Pen »

Le Front National aussi a ses jeunes. Il existe désormais une génération née il y a moins de trente ans qui, lors de son éveil à la politique à l'adolescence, a rencontré un Front National déjà installé de manière institutionnelle dans le paysage politique français. Elle n'a pas connu l'avant 1984, la période où la formation lepéniste, ancrée à l'extrême droite de l'échiquier politique, ne réalisait en moyenne que 1 ou 2 % lors des consultations électorales. Pour eux, le Front National apparaît, plus que pour les autres couches de la population, comme «un parti comme les autres». En témoigne la notable sur-représentation du vote en faveur du Front National chez les 18-25 ans.

Le phénomène rejaillit sur les structures internes du Front National. Le Front National est paradoxalement l'un des partis français les plus jeunes, si l'on comptabilise l'âge des cadres investis à l'occasion des élections. Certes, il est peu audacieux de présenter un jeune lorsqu'on sait par avance qu'il est impossible qu'il gagne. Néanmoins il existe désormais, incontestablement, une génération de jeunes amenés à la politique par le lepénisme.

Parmi ceux-ci, quelques dizaines de noms émergent, à l'image de Philippe Olivier, Bruno Racouchot, Michel Hubault, Régis de La Croix-Vaubois ou Jérôme Mallarmé.

Mais les deux figures de proue de ces «bébés Le Pen» sont Samuel Maréchal et Damien Bariller. Jeunes élus situés à des postes clef de responsabilité au plan national, ils seront, sans aucun doute, des pièces maîtresses dans le devenir du Front National de l'après Jean-Marie Le Pen.

Samuel Maréchal

Samuel Maréchal, âgé de vingt-huit ans, est l'aîné de cinq enfants issus d'une famille religieuse protestante. Son père est un pasteur pentecôtiste. Samuel Maréchal dit avoir été fortement influencé par cette atmosphère chrétienne dans son engagement politique. Selon lui, en effet: *« Le prêche de la vérité et l'amour du prochain sont les vocations de tout politique. Il s'agit seulement de servir »*.

Ses études sont courtes et à finalité professionnelle. Afin d'acquérir une indépendance financière, il passe un CAP de prothésiste dentaire. Entretemps, il a été touché par le virus de la politique. Ses parents n'ont guère apprécié le temps qu'il passait à militer au sein du Front National, auquel il finit par adhérer en novembre 1985. Il explique ce premier choix politique définitif par deux raisons: *« le programme et la personnalité d'homme d'Etat de Jean-Marie Le Pen».* En parallèle de la prise de responsabilités croissantes au sein de la fédération de Loire-Atlantique, il reprend ses études. Après avoir obtenu un baccalauréat série B, il entame un DEUG de droit.

Dès lors, il est investi rapidement de fonctions de décision : responsable départemental du Front National de la Jeunesse (FNJ) de Loire-Atlantique, puis responsable régional FNJ de Bretagne-Pays de la Loire. Il est remarqué à ce poste par Bruno Mégret et son chef de cabinet, Damien Bariller. Bruno Mégret lui demande, en 1991, de venir diriger sa campagne pour les régionales en Provence-Alpes-Côte d'Azur. C'est à cette époque qu'il rencontre Jean-Marie Le Pen ; il assistera celui-ci dans sa campagne niçoise. Le président du Front National le propulse ensuite, en remplacement de Martial Bild, directeur du FNJ. Benjamin du bureau politique du Front National, il est nommé, à la fin de l'année 1995, adjoint au secrétaire général chargé des problèmes de la jeunesse. Ses mandats électoraux sont encore minces puisqu'il n'est que conseiller municipal de Saint-Ouen-l'Aumône, dans le Val d'Oise.

Grand, brun, « beau gosse » à en croire les jeunes militantes enamourées, par ses manières policées, il ressemble assez au portrait du « gendre idéal » ; ce qu'il devient au plus haut niveau puisque son beau-père est Jean-Marie Le Pen. Samuel Maréchal a épousé en 1993 la deuxième fille du président du Front National, Yann.

L'ascension fulgurante de Samuel Maréchal ne lui vaut pas que des amis au Front National. Certains « collègues » le critiquent en termes sévères, mais jamais ouvertement. Ils mettent l'accent sur son opportunisme et sa fraîche culture politique. Avec des accents où semble poindre une jalousie avérée, ils l'évoquent comme le *« Sarkozy de Le Pen».*

Quoiqu'il en soit, Samuel Maréchal, par son travail et son habileté, s'est révélé à la tête de « ses » jeunes un efficace organisateur. Il a su faire du FNJ une structure au militantisme actif, dorénavant incontournable. Réinventeur du slogan « ni gauche, ni droite, Français », Samuel Maréchal se positionne en promoteur d'une nouvelle force au sein du Front National. N'appartenant à aucun «clan», proche du seul Jean-Marie Le Pen, il apparaît à long terme comme l'un de ses successeurs potentiels, à la condition de prendre de la bouteille, car son âge demeure son handicap majeur. Son atout principal, loin d'être négligeable : appartenir à la famille du président du Front National. Or, pour Jean-Marie Le Pen le Front National semble avant tout une affaire de famille.

Damien Bariller

Agé de vingt-neuf ans, Damien Bariller est originaire d'Aix-en-Provence. Multi-diplômé, il est l'un des «littéraires» du Front National : khâgne, philosophie, troisième cycle d'histoire du XXe siècle de l'Institut d'Etudes Politiques de Paris.

Il s'engage très jeune au Front National, dont il gravit très rapidement les échelons : responsable FNJ de la circonscription d'Aix, membre du comité central depuis 1990, enfin membre du bureau politique nommé par Jean-Marie Le Pen en février 1994.

En dépit de son jeune âge, il est l'une des principales figures du Front National en Provence-Alpes-Côte d'Azur : conseiller régional depuis 1992, il est le benjamin de l'assemblée présidée par Jean-Claude Gaudin. Candidat aux législatives de 1993, avec près de 20 % des voix, il se maintient au second tour dans une triangulaire médiatique qui l'oppose à Bernard Tapie et à Hervé Fabre-Aubrespy (RPR) ; il ne rassemble alors que 14,5 % des suffrages.

Mais Damien Bariller est avant tout, depuis 1990, le bras droit de Bruno Mégret, au titre de chef de cabinet. Jean-Marie Le Pen et Bruno Mégret lui ont notamment confié la responsabilité des éditions du Front National.

Doté d'une plume prolifique, il écrit de nombreux documents et ouvrages publiés sous son nom ou rédigés pour d'autres. Damien Bariller est en quelque sorte le «nègre» du Front National... mais un «nègre» ambitieux.

TROISIÈME PARTIE

L'ORGANISATION DU FRONT NATIONAL

Le Front National est un parti aujourd'hui fortement structuré. Son organisation actuelle ne doit rien au hasard. Plusieurs modifications statutaires ont accompagné les différentes phases de son évolution électorale et stratégique.

Au-delà d'une apparente rigidité structurelle, gravitent un nombre impressionnant d'associations annexes, chargées de diffuser partout où cela est possible, souvent d'une manière feutrée, le message frontiste.

Depuis quelques années, c'est à une double stratégic de consolidation et d'implantation que se livre le Front National. Il vient de passer depuis ces derniers mois à une vitesse supérieure pour préparer ce que ses dirigeants appellent désormais «la conquête du pouvoir».

CHAPITRE SIX
LA STRUCTURE ET
LE FONCTIONNEMENT DU PARTI

Le Front National, dans son organisation structurelle, ne diffère guère des grands partis français contemporains : un président, une équipe nationale, un siège, des fédérations régionales et départementales, une antenne jeune...

Il s'en différencie néanmoins en ce qui concerne le militantisme. Formation populaire de masse, avant tout centrée sur l'implication active de ses adhérents, le Front National a développé à leur attention une imagerie (dans les grands rassemblements) et des formes d'implication qui n'existent pas – ou plus – chez ses adversaires.

Si la vie militante est privilégiée dans les fédérations, la principale caractéristique du Front National reste une forte hiérarchisation de ses organes. Cependant, il ne faut jamais perdre de vue que le sommet de la pyramide est Jean-Marie Le Pen, le véritable moteur du parti.

L'organisation nationale

Le Front National, à l'image des autres partis politiques français, est organisé sous la forme juridique d'une association loi 1901, dotée de statuts plusieurs fois révisés depuis 1972.

Selon les plus récents statuts, l'organe supérieur de décision du Front National est son président. Il est élu par le congrès à la majorité des voix. Il convoque le bureau politique et le congrès. Sa fonction statutaire : représenter le Front National en toutes circonstances.

Puis vient le bureau politique, son exécutif collégial. Présidé par Jean-Marie Le Pen, il est composé de membres élus, sur proposition du président, par le comité central, ainsi que de personnalités que Jean-Marie Le Pen décide purement et simplement de coopter.

Il compte une trentaine de personnes. On constate une très grande stabilité depuis des années dans la composition du bureau politique, les nouveaux visages étant rares. Le bureau arrête les grandes orientations du mouvement et procède aux nominations importantes, dont celles des secrétaires régionaux et départementaux.

A un stade intermédiaire se situe le comité central. Sorte de parlement du Front National, il comprend cent membres élus par le congrès et vingt membres cooptés sous la direction de Jean-Marie Le Pen. La cooptation sert essentiellement à rattraper des dirigeants qui n'auraient pas été élus par le congrès, en dépit des consignes officieuses, ce qui fut quelquefois le cas.

Convoqué au moins une fois par an, c'est lui qui, formellement, procède à l'élection du bureau politique. Il est une force de proposition et se prononce sur les grands axes déjà définis par l'exécutif.

Le conseil national comporte des membres du comité central, des secrétaires régionaux et départementaux, des élus nationaux et régionaux ainsi que des personnalités choisies par le bureau politique. Réuni par ce dernier une fois par an minimum, il débat de l'orientation générale du parti.

Enfin le congrès, assemblée générale du Front National, rassemble tous les délégués représentatifs. Son rôle est d'élire, tous les deux à quatre ans, le président et le comité central.

Il ne faut pas surestimer le poids de cette superposition d'organes statutaires. Dans la pratique, le vrai pouvoir de décision et de gestion appartient à deux entités : au président, Jean-Marie Le Pen, chef tout puissant dont les désirs sont des ordres, ainsi qu'au bureau exécutif de l'état-major du parti constitué principalement, outre du président, du secrétaire général, Bruno Gollnisch, du délégué général, Bruno Mégret et du vice-président, Dominique Chaboche (ami intime de Jean-Marie Le Pen). La réalité du pouvoir d'impulsion est là. Les autres structures ne constituent, à vrai dire, que des chambres d'enregistrement.

A côté de ces organismes statutaires, il existe depuis 1988 deux courroies de transmission parallèles, qui assument au quotidien la bonne marche du Front National, parfois dans une atmosphère de concurrence débridée : ainsi, par exemple, après que la *délégation générale* ait initié à la fin de l'année 1995 sa stratégie syndicale d'implantation, le *secrétariat général* a, aussitôt après, pris la décision de restructurer les cercles nationaux pour relancer leur activité jusque là souvent en sommeil. Bruno Gollnisch commente cette « émulation » par une métaphore nippone : *« Au Japon, les franciscains rivalisaient avec les jésuites pour l'évangélisation du pays ».*

La répartition des tâches entre la *délégation générale* et le *secrétariat général* peut, à première vue, sembler complexe. Si l'on prenait une comparaison informatique, nous pourrions dire que le matériel relève du secrétariat général alors que le logiciel procède de la délégation générale ; à l'un le fonctionnement au quotidien, à l'autre les idées.

Le *secrétariat général* s'occupe de tout ce qui a trait à la structuration du parti, ainsi qu'à son organisation locale. Il a en charge les militants dans leur gestion quotidienne, la communication interne, les adhésions, les finances, les fédérations, la coordination des élus, les élections, le matériel, l'informatique ainsi que la direction des cercles nationaux. Bruno Gollnisch a été nommé secrétaire général en octobre 1995 en remplacement de Carl Lang, démissionnaire. Il a alors procédé à la nomination de huit conseillers fédéraux, d'un adjoint à la jeunesse (Samuel Maréchal), de quatre chargés de mission et de sept secrétaires nationaux. Le but officiel de cette restructuration est de préparer les élections législatives de 1998, notamment par le doublement d'ici cette date, du nombre des adhésions. La finalité annexe et officieuse semble plutôt de contrebalancer la délégation générale et le numéro deux, incontesté jusque là, du Front National, Bruno Mégret.

La *délégation générale* est une structure fondée en septembre 1988 par Jean-Marie Le Pen, dans la foulée des élections présidentielles, pour remercier Bruno Mégret de son efficacité lors de la campagne. Comme le secrétariat général, elle ne dépend en pratique que du président du Front National. Elle est l'instrument stratégique du mouvement. Ses principales sphères de compétence sont au nombre de cinq : les études (confiées à Yvan Blot, en remplacement de Jean-Yves Le Gallou), la formation (Ecole des Cadres et IFN), la propagande, la communication (service de presse et éditions) et l'organisation des grandes manifestations (comme les BBR ou le défilé de Jeanne d'Arc). Elle supervise aussi le *conseil scientifique* du Front National. Confiée dès son origine à Bruno Mégret, celui-ci en a fait un organisme pivot du Front National. Ses missions, aujourd'hui, sont l'amélioration de la qualité des futurs candidats, la banalisation de l'image du parti et la préparation d'une future prise de pouvoir.

Le siège actuel du Front National se situe dans la banlieue parisienne, à Saint-Cloud. Le Front National a quitté Paris et l'hôtel particulier de la rue de Clergerie en décembre 1994, pour se doter de locaux modernes plus vastes et plus fonctionnels.

Le site de Saint-Cloud n'a pas été choisi au hasard puisque Saint-Cloud est la ville où se trouve la villa de Jean-Marie Le Pen. Située dans le verdoyant et chic parc de Montretout, sur une colline, ce manoir Second Empire (hérité du cimentier milliardaire Hubert Lambert) sert aujourd'hui à Jean-Marie Le Pen de bureau pour son cabinet personnel. Il habite, depuis son mariage avec sa nouvelle femme, Janny, dans la résidence de celle-ci à Rueil-Malmaison.

Le siège du Front National, au bas de la ville, se trouve donc ainsi à peu de distance du centre suprême de décision, la « maison Le Pen ».

De couleurs blanche et jaune, le bâtiment du siège est imposant. Comme de bien entendu, il est pourvu d'un drapeau tricolore. En raison de son aspect extérieur, qui le fait ressembler à un navire de croisière, il est surnommé par les permanents du parti le « paquebot ».

L'entrée, sur le côté, rue de Vauguyon, n'est pas grande. Derrière deux doubles portes vitrées, un accueil où les visiteurs sont soigneusement filtrés : ils doivent remettre une pièce d'identité en échange d'un badge, qui seul leur permet d'accéder à l'intérieur des locaux. En attendant leur interlocuteur, ils peuvent trouver à côté de l'accueil un petit salon d'attente, muni d'un présentoir rempli d'une presse favorable au parti.

A partir de l'entrée, il est difficile de se rendre compte de l'immensité de l'immeuble : plus de cinq mille mètres carrés, répartis sur trois niveaux !

Dans l'entrée, plusieurs dizaines de bureaux sont installés, la délégation générale et le secrétariat général occupant à eux seuls chacun tout un couloir. Le FNJ dispose également d'un vaste espace, qu'il partage avec le Renouveau Etudiant.

Un étage plus bas, autour d'une cour qui sert principalement à garer les voitures officielles des dirigeants (ou à réaliser des photos saisissantes, devant la statue de Jeanne d'Arc qui la surplombe), se trouvent de vastes salles de réunion, une cafétéria, une salle de sport, ainsi qu'un entrepôt pour le matériel.

A l'étage supérieur se situe principalement un démembrement des services du *Groupe des Droites Européennes*.

Le siège de Vauguyon est un lieu de vie essentiel pour le Front National qui y pilote toutes ses actions. Pour faire « tourner la machine », une centaine de personnes sont accréditées et travaillent. Elles se répartissent, hormis les dirigeants, en deux catégories : les bénévoles et les permanents. Les permanents sont rémunérés soit directement par le mouvement, soit par des groupes politiques (Parlement européen ou régions), soit directement par les élus auxquels ils sont rattachés. En cela, le Front National ne diffère guère des autres partis.

Pendant de nombreuses années le Front National, à l'instar des autres partis français, était doté d'un financement opaque, du fait de l'absence de publicité et de transparence. Outre les adhésions et les produits des meetings, d'autres sources de financement, plus privées, assuraient manifestement l'intendance du parti. Divers organismes comme *Entreprise Moderne et Liberté* ou la *Cotelec* servaient à collecter les fonds.

Depuis le début des années quatre-vingt-dix, une législation complexe s'est mise en place afin de « moraliser la vie publique ». Les partis agissent désormais sous le contrôle de la *Commission des Comptes de Campagne*, qui publie chaque année au *Journal Officiel* l'état de la gestion de chaque mouvement. A partir de 1995, les dons des personnes morales ont été interdits.

Le budget du Front National avoisine officiellement les soixante quinze millions de francs.

Sur cette somme, les cotisations des adhérents représentent huit millions de francs, ce qui permet de calculer le nombre réel d'adhérents du parti.

L'adhésion simple est à deux cent soixante francs, l'adhésion jeune à cent cinquante francs, l'adhésion chômeur ou famille à cent francs et l'adhésion de soutien à cinq cents francs. La fourchette crédible du nombre d'adhérents à jour de cotisation devrait donc se situer entre trente et quarante mille (contre cent mille revendiqués de manière publique).

Les adhésions sont à différencier des dons de personnes physiques qui atteignent, il faut le noter, onze millions de francs, issus soit d'adhérents soit de personnes qui n'osent pas prendre une carte au Front National.

Les élus doivent reverser une partie importante de leurs

indemnités, calculée selon la nature du mandat. Ils contribuent ainsi au fonctionnement du parti qui les a investis, à hauteur de près de cinq millions de francs.

Le financement public, en dépit de l'absence de parlementaires (chaque député ou sénateur rapporte aux autres formations une somme forfaitaire non négligeable), constitue la première source de recettes, avec trente six millions de francs. Ce financement est obtenu en fonction du résultat des élections.

Enfin, le produit des manifestations payantes du Front assure une rentrée de près de sept millions de francs, presque autant que les adhésions.

Les principales charges sont constituées par la propagande ou la communication (vingt sept millions de francs dont un tiers pour l'organisation des réunions) et l'aide à des organismes relais (six millions de francs). Les frais de voyage des dirigeants représentent trois millions de francs, et les salaires des permanents, charges comprises, quatre millions de francs.

Le budget annuel du Front National est par conséquent excédentaire à concurrence d'environ dix millions de francs.

L'organisation locale

Le Front National, à l'instar de la plupart des formations politiques, dispose d'une implantation de dimension nationale organisée en structures hiérachisées. Le Front National ressemble à tous les grands partis français contemporains, rien d'original ne permettant sur ce point de le distinguer de ses concurrents.

Il existe des fédérations régionales, dirigées par un secrétaire régional dont le rôle est de coordonner les actions des fédérations départementales qui dépendent géographiquement d'elles. En sommeil depuis quelques années, Bruno Gollnisch tente en ce moment de redonner à celles-ci leur fonctionnalité d'origine.

La cellule « de base » du Front National est la fédération

départementale, centre d'impulsion de la vie locale du mouvement. L'homme fort de la fédération : le secrétaire départemental. Nommé par le bureau politique national, il dispose de pouvoirs étendus afin d'organiser son travail. Obligatoirement secondé par un adjoint, afin qu'en cas d'intérim la fédération ne soit pas handicapée, il est assisté d'un bureau départemental. Celui-ci est normalement composé, pour les grosses fédérations, d'un trésorier, d'un secrétaire chargé des adhésions, d'un secrétaire administratif (courrier, convocations), d'un secrétaire à la propagande (matériel militant), d'un responsable DPS (service d'ordre), d'un attaché de presse et du secrétaire départemental du FNJ. Le bureau peut également accepter en son sein des élus ou des dirigeants de cercles nationaux.

Au niveau local, nous trouvons aussi des responsables de circonscription législative et de canton. Dans le cas des grandes villes, les sections municipales sont quelquefois structurées un peu à l'image des fédérations.

Les fédérations sont en pratique de taille très variables : dans les régions rurales on les découvre réduites au plus strict minimum, c'est-à-dire quasiment au seul secrétaire départemental (le Cantal par exemple). Dans les départements plus peuplés, particulièrement dans les « fiefs » du Front National, elles deviennent de véritables structures, comptabilisant plusieurs centaines d'adhérents. Il en va ainsi notamment dans les Bouches-du-Rhône où, d'un FNJ puissant à un *Cercle National des Femmes d'Europe* actif, toutes les associations satellites sont représentées.

La vie militante

La vie au quotidien d'une fédération du Front National tourne d'abord autour de l'action militante.

Le mouvement est organisé autour de la permanence locale. Placée sous la conduite d'un responsable, tout part d'elle et tout lui revient. Centre d'impulsion des activités pour le secteur considéré (département, circonscription ou ville), la permanence, siège officiel du parti, reçoit le courrier, réceptionne les demandes d'adhésion et accueille les visiteurs (adhérents, sympathisants, voire curieux) qui viennent là pour se retrouver entre eux.

Ils parlent alors de politique, critiquent vertement les dernières mesures du gouvernement et commentent les déclarations de leur président, « Jean-Marie ».

La permanence est souvent le centre d'une activité originale, propre au Front National. A l'image de ce que faisait le Parti Communiste jadis, le parti lepéniste insiste depuis peu sur l'aide sociale. Les permanents ou les militants frontistes, afin d'améliorer l'image négative du Front National, mènent ce qu'ils nomment des « actions de proximité ». Destinées, dans le cadre d'une stratégie d'implantation, à montrer que seul le Front National *défend les populations au quotidien*, elles visent à aider les familles françaises en difficulté, en particulier dans les cités.

L'aide se cantonne parfois à l'écoute des problèmes. Mais, souvent, il y a assistance réelle pour remplir des imprimés, informer sur les droits sociaux ou accompagner la personne en désarroi dans ses démarches administratives.

Si nécessaire, *Fraternité Française* prend le relais jusqu'au bout des dossiers.

L'habileté du dispositif : les militants du Front National ne demandent rien en échange. Ces actions « altruistes » remportent un grand succès. L'idée d'une possible *préférence nationale* fait son chemin. Le Front National, par des méthodes similaires à celles employées par le Parti Communiste dans les années cinquante et soixante, s'enracine ainsi, peu à peu mais profondément, parmi les couches populaires, qui découvrent là une solidarité qui n'existe plus ailleurs.

La permanence est aussi le centre d'activités plus classiques : elle reçoit et gère par exemple le matériel du siège national. Strictement comptabilisé (les militants sont souvent obligés de le payer), ce matériel consiste essentiellement en des affiches, des tracts ou des autocollants. La répartition s'opère en fonction des besoins et des échéances. Les consignes du siège national relatives à l'organisation des activités militantes demeurent très précises, pour des raisons de « sécurité ». Par exemple, il est en théorie interdit d'effectuer des collages de nuit et, pour chaque action, des équipes de plusieurs adhérents doivent être constituées – dispositif qui ne s'avère, selon l'aveu même de responsables locaux, pas toujours respecté.

Il va sans dire que les activités sont décuplées en période électorale et que le militantisme au quotidien cède alors la place à une organisation plus soutenue et encadrée. Le rythme de la distribution de tracts sur les marchés augmente, on organise des réunions « tupperware » autour du candidat, les affichages se succèdent, et le tout se termine le soir des résultats, à la permanence, au cours d'une soirée électorale souvent agitée et ponctuée de remarques désobligeantes à l'endroit des adversaires (idem dans les autres partis).

Les formes et les degrés de militantisme sont très variables en fonction de l'origine ou des activités des adhérents. Ainsi par exemple Olivier, jeune étudiant de vingt-six ans, se proclame pilier de sa section alors que Richard (même âge, mais dans la vie active) ne *« donne qu'occasionnellement un coup de main »*.

Beaucoup d'encartés font montre de discrétion pour des raisons professionnelles. Certains, tel ce fleuriste, aident en sous-main les jeunes du FNJ. D'autres, au contraire, s'investissent totalement, à l'image d'Eliane, depuis longtemps responsable *du Cercle National des Femmes d'Europe* dans son département méridional. Elle ne manque jamais une manifestation locale ou nationale du Front National.

Mais quelles raisons peuvent donc pousser à adhérer au Front National ? Elles semblent très diverses et variées, toutefois la *France* et *Jean-Marie Le Pen* reviennent dans tous les témoignages.

Ainsi parle Joëlle, mère de famille : *« Je suis de la famille de droite. Je suis née en Algérie ; la cinquième génération à être née en Algérie. A treize ans, c'était mai 1958. J'ai pris conscience que la France allait abandonner l'Algérie et j'ai milité pour la France. Mon drapeau ça a toujours été le bleu le blanc le rouge. Depuis, je n'ai jamais cessé. Quand je suis rentrée en France après 1962, j'ai pris une grosse claque. Et le seul qui m'aie fait quelque chose, c'est monsieur Jean-Marie Le Pen. Depuis, je n'ai cessé de combattre à ses côtés pour la France».* Joëlle poursuit sur son militantisme au Cercle National des Femmes d'Europe : *« Madame Lehideux a créé le Cercle National des Femmes d'Europe en 1985 et je l'ai rejointe tout de suite. Parce que c'est la seule qui, en dehors du Front bien sûr et avec le Front, milite pour qu'il y ait d'abord la préférence nationale au sein de la famille. Nous réclamons un ministère de la famille qui n'existe pas. C'est une honte. On a un ministère de l'intégration mais on n'a pas un ministère de la famille... Tout est question de préférence nationale. Qui font les enfants ? Vous avez maintenant des gens pas Français, on a rien contre, mais qui ont les mêmes droits que nous, c'est pas normal. On réclame un salaire maternel pour les Français, d'abord».»*

Jean, retraité, ne mâche pas ses mots : *« Le seul qui vaille, c'est Le Pen. C'est le seul homme politique à être encore Français».*

Un membre (depuis dix ans) de la DPS explique sa vision personnelle de la nation : *« L'histoire est un éternel recommencement. Il y a toujours eu depuis les Gaulois un sursaut national quand tout allait au plus mal : Charlemagne, les rois, Louis XIV, Napoléon. Un homme s'est toujours imposé. L'histoire est vide depuis Napoléon. Aujourd'hui c'est peut être Le Pen, ou ce sera un autre. Le Front National représente cet idéal national. Remarquez, le Front National est battu dans les élections de très peu, car les étrangers votent».*

Enfin pour Catherine, venue assister aux Bleu Blanc Rouge avec son mari et ses deux enfants : *« La droite et la gauche m'ont déçu. Surtout la gauche. J'ai voté socialiste en 1981. Ils ne parlent ni de mes préoccupations ni de la France.*

Seul Le Pen s'occupe de nos vrais problèmes. Il dit ce que tout le monde pense, comme sur les étrangers. Il a les mains propres. C'est pour ça qu'on l'attaque ».

Le militantisme dévoué est récompensé au sein du Front National par la «flamme d'honneur». La flamme d'honneur n'est ni plus ni moins qu'une décoration interne au Front National, dont la finalité est de remercier les adhérents les plus fidèles et exemplaires, ainsi que de motiver le reste des troupes. C'est Bruno Mégret, délégué général, qui trouva l'idée en 1992. La première remise solennelle de la flamme d'honneur eut lieu lors de la fête des Bleu Blanc Rouge de 1992, alors que le Front National célébrait ses vingt années d'existence.

Si la flamme d'honneur procède d'un usage strictement interne, les dirigeants du parti font tout pour, qu'aux yeux des militants, elle soit assimilée à une véritable décoration.

Elle existe en quatre grades: bronze, argent, vermeil, et or. La flamme d'honneur est placée sous le gardiennage et l'autorité d'un «conseil de la flamme», à l'image d'une chancellerie. Présidé par Jean-Marie Le Pen il comprenait au départ : Dominique Chaboche, Carl Lang, Bruno Mégret, Roger Holeindre, Pierre Durand, Yves de Verdilhac, et, comme secrétaire, le colonel Christian Champagne.

Deux promotions de flammes d'honneur sont arrêtées chaque année. Les remises ont lieu lors des deux grands rendez-vous militants frontistes, le 1er mai lors de la célébration de la «pucelle d'Orléans» et, en septembre, à l'occasion des Bleu Blanc Rouge. Il y a un nombre restreint de bénéficiaires à qui, après un cérémonial bien huilé mettant en relief les mérites du décoré, Jean-Marie Le Pen en personne remet leur médaille.

La flamme d'honneur est un gros insigne d'une dizaine de centimètres de hauteur. A sa base, les lettres « FN » sont entourées de lauriers inclus dans un fond ressemblant à un soleil. Le tout est surmonté d'une imposante flamme tricolore, reproduction du logo du mouvement.

Le Front National est le seul parti français à posséder une

distinction militante de ce type, qui témoigne d'un goût du décorum et du rite cadrant parfaitement avec l'imagerie nationaliste.

Le militant lepéniste (à l'instar de ses alter ego des autres partis) se reconnaît aussi, lors des actions ponctuelles du type distribution de tracts sur les marchés, à ses accessoires, comme l'autocollant, le badge ou toute autre sorte de gadgets, déclinés en tricolore. Mais au Front National, plus que dans les formations institutionnelles, ces produits rencontrent un succès considérable. Les adhérents actifs cherchent peut-être une compensation, par l'affichage ostensible de leur engagement, de leur « différence ».

Ceux qui ont franchi le pas du militantisme ne vivent souvent plus que pour leur « cause »... Les instances dirigeantes du Front National ont très tôt, dès la percée médiatique de 1983-84, anticipé cette attente. Ils créent au mois de juin 1983 une « boutique du Front National » qu'ils confient à Francine Commenge. Elle assume aujourd'hui encore cette responsabilité. Le but : répondre aux demandes du public, propager l'image du mouvement et faire de la trésorerie. Le coup d'envoi officiel est donné aux Bleu Blanc Rouge de l'automne 1983, par la vente de cinq cent cravates aux couleurs du parti.

Depuis les débuts, la gamme des produits vendus par la boutique du Front National s'est considérablement étendue. De la traditionnelle « flamme » représentant le logo du mouvement (200 000 exemplaires distribués à ce jour), à la « fleur de lys » ou à Jeanne d'Arc sur son cheval, en passant par les innombrables portraits et effigies du président, les insignes et badges constituent une source inépuisable de gris-gris pour les militants.

Parmi les slogans imprimés ou sérigraphiés, nous pouvons relever les très explicites : « *Les Français d'abord* », « *La France, aimez-la ou quittez-la* », « *Touche pas à mon peuple* » ou « *Mon pote, c'est Le Pen* ».

Les stylos ou briquets (avec les mêmes inscriptions)

connaissent, aux dires des dirigeants, le plus grand succès. Le dernier arrivé : un mini-briquet *« Bon voyage mon pote »*. La maison n'est pas non plus oubliée.

Pour décorer votre intérieur, vous pouvez acquérir un cendrier en porcelaine de Limoges avec flamme, et, pour vos invités – venus jouer au bridge ou au tarot avec des cartes nationalistes – vous trouverez des serviettes en papier imprimées avec ce même motif.

Il est possible de se vêtir Front National, du caleçon au bob, en passant par les tee-shirts, les écharpes et les foulards. La touche finale du frontiste raffiné : « l'eau de toilette avec flamme », à trente cinq francs seulement.

Mais la boutique propose également des articles plus « culturels ». Outre les cassettes audio et vidéo sur Jean-Marie Le Pen et les grandes réunions du Front National, une « bibliothèque » s'ouvre à vous. Les livres vendus : pour l'essentiel, ceux du parti ou de ses dirigeants. Sont également présents les livres de personnalités « amies » comme ceux de Jean Raspail *(Le camp des saints)* ou d'Emmanuel Ratier *(Les guerriers d'Israël, Encyclopédie des changements de noms, Encyclopédie politique française)*. Figurent également des auteurs encore plus marqués : le royaliste Jacques Bainville (pour ses œuvres historiques) ou Robert Brasillach (pour ses romans les plus célèbres).

Les grands rendez-vous

Dirigeants et militants du Front National se retrouvent chaque année lors de trois grands événements, qui rythment la vie du mouvement.

Ce sont là des occasions de partager, avec d'autres adhérents originaires de régions différentes, les préoccupations et idéaux dans un même esprit.

Il y a deux « grand-messes », la fête dite des *Bleu Blanc Rouge* et le *défilé en l'honneur de Jeanne d'Arc*. La troisième manifestation est réservée aux cadres et aux militants assidus, ce sont les *universités d'été*.

La rencontre des Bleu Blanc Rouge constitue pour le Front National son plus grand rassemblement annuel, et a vu le jour en septembre 1981 lorsque Michel Collinot, solidariste et proche de Jean-Pierre Stirbois, suggéra à Jean-Marie Le Pen de faire ce qu'il appelle : « une contre-fête de l'Huma », c'est-à-dire une manifestation populaire à destination des nationalistes. Le premier rassemblement réunit, dans un obscur coin des Yvelines, près de trois mille personnes – un succès.

Déjà, les caractéristiques des Bleu Blanc Rouge actuels sont présentes. Il y a de nombreux stands d'animation. Le « clou du spectacle » : l'intervention de clôture de Jean-Marie Le Pen. Mais l'originalité réside, par rapport à la Fête de l'Humanité et aux autres rencontres organisées par les partis traditionnels, dans son aspect ouvertement catholique, et pas n'importe lequel. En effet, le dimanche matin une messe selon le rite traditionaliste et préconciliaire de Saint Pie V est célébrée à l'attention des participants.

Devant cette première réussite, confirmée et amplifiée les années suivantes (de 40 000 à 100 000 entrées payantes selon les années d'après les organisateurs et de 15 000 à 20 000 selon *le Canard Enchaîné*), l'opération est reconduite et semble désormais bien rôdée.

Les Bleu Blanc Rouge s'étalent sur deux journées d'un week-end de septembre ; en 1995 sur la pelouse de Reuilly, près de Vincennes, l'entrée était fixée à soixante dix francs pour les deux jours.

Les Bleu Blanc Rouge, fête de divertissement en théorie, sert de vitrine au Front National. A cet effet, les fédérations et les associations amies sont fortement invitées à louer (plus de dix mille francs en moyenne) un stand auprès de l'organisation nationale. L'investissement s'avère la plupart du temps rentabilisé par la vente de gadgets ou de produits régionaux.

Examinons le programme. Le samedi, de dix heures à minuit, est placé sous le signe de la détente : ouverture, forums politiques, parade, remise des flammes d'honneur, variétés et soirée dansante.

Le dimanche, de dix heures à dix-huit heures, prend une tournure plus politique : messe traditionaliste en plein air, forums avec les dirigeants du parti, discours fleuve de Jean-Marie Le Pen.

Flâner dans les stands apporte son lot de surprises. Le premier rencontré, celui des adhésions au Front National, avec en gros une « offre alléchante » : *« pour toute première adhésion au stand, une entrée remboursée ».* Puis vient le « village » du FNJ, les stands des organes de la presse sympathisante (*National Hebdo, Présent, Rivarol, Monde et Vie, Le Libre Journal, Le Quotidien de Paris...*), ceux des fédérations où sont proposés des produits « bien de chez nous », parfois dûment estampillés Front National. Ainsi, au stand de l'Auvergne, il est possible d'acheter un couteau de Laguiole où sont gravées les initiales « JMLP ».

Les différents cercles possèdent eux aussi leur guérite, tout comme les scouts *d'Aventure et Tradition*, association fondée par des parents proches du Front National.

Des commerçants tiennent échoppes. Jean Nouyrigat, célèbre restaurateur parisien nationaliste, a monté des tables où sont servis des plats mitonnés par ses soins, arrosés de vin de Touraine.

En face, un bistrot sert des « cervoises Lancelot » dans un décor de menhirs factices. Quelques marchands d'insignes vikings ou de reproductions d'épées médiévales sévissent, aux côtés de fabricants de bijoux païens. Pas très éloignés d'eux, le Centre Henri et André Charlier et les Comités Chrétienté-Solidarité sous le commandement de Bernard Antony tiennent, par voie de tractages, à signaler l'existence du *Comité Clovis.*

A noter, les vedettes cette année furent évidemment les trois tentes de Marignane, d'Orange et de Toulon.

La foule : jeunes, vieux, beaucoup de familles issues de milieux populaires, mais également des « cathos tradis », d'allure très versaillaise, avec lodens verts, kilts et imperméables « Burberry's ». Il y a aussi quelques participants plus typés : cheveux ras, blousons de cuir noir, regards de dogue, essentiellement stationnés parmi les jeunes qui gravitent autour du village FNJ. Bien qu'ils ne soient officiellement pas les bienvenus (des consignes ont été données à la DPS pour refouler les plus « fachos » d'entre eux), ils restent toujours présents, en petit nombre.

Le point d'orgue de la manifestation : incontestablement le discours prononcé par Jean-Marie Le Pen qui, du fait du calendrier, s'avère souvent moins important sur le plan politique que celui qu'il prononce à l'occasion du défilé de Jeanne d'Arc, au mois de mai.

Le défilé de Jeanne d'Arc, par ordre d'importance, est la seconde des grandes manifestations organisée par le Front National.

Pourquoi Jeanne d'Arc ? Selon Jean-Marie Le Pen : « *Toute action politique en profondeur a besoin de se rattacher à des mythes et à des images. Or, la France a la chance d'avoir une image synthétique exceptionnelle et vraie. C'est Jeanne d'Arc. C'est une fille du peuple, général victorieux à dix-huit ans, martyre à dix-neuf ans... Les grands peuples ont toujours de grands mythes. C'est une image pure, généreuse, courageuse. C'est une synthèse des qualités de la race française. Je n'ai pas peur d'employer le mot, en rappelant que les timbres antituberculeux du Front Populaire étaient intitulés : "Sauvons la race"* ».

Le défilé de Jeanne d'Arc fut organisé durant l'entre-deux-guerres par toutes les chapelles nationalistes. Il avait été imposé par l'*Action Française*, au lendemain de la première guerre mondiale, au prix de deux mille journées de prisons effectuées par les Camelots du Roi.

Au lendemain de la seconde guerre mondiale, et jusqu'en 1979, seule la *Restauration Nationale*, héritière du mouvement de Charles Maurras, maintient vaille que vaille la tradition, avec ses troupes étiques.

En 1979, à la veille des élections européennes, le Front National, sous l'égide de Michel Collinot, décide de participer à la manifestation en l'honneur de la *sainte*, pour médiatiser et consolider le projet de liste d'Union Française pour l'Europe des Patries constituée par l'alliance du PFN avec le Front National.

Le défilé part de la place de la Concorde en direction de la rue de Rivoli, pour rejoindre la place des Pyramides, où se trouve une statue de Jeanne d'Arc.

Deux cortèges s'organisent. Le premier, conduit par Jean-Marie Le Pen et Pascal Gauchon, composé des jeunes et des adultes des deux formations d'extrême droite. Le second, plusieurs centaines de mètres plus loin, celui des monarchistes de la *Restauration Nationale* qui entendent bien marquer par ce geste leur spécificité.

En 1980 l'expérience est reconduite sans le PFN, discrédité par l'échec de sa liste aux européennes. Il est remplacé par des associations catholiques traditionalistes. L'année suivante, en 1981, la fête de Jeanne d'Arc coïncide avec le second tour des élections présidentielles. Le cortège du Front National, avec à sa tête Jean-Marie Le Pen accompagné de Jean-Pierre Stirbois, rassemble huit à neuf cents personnes. Jean-Marie Le Pen en profite pour affirmer qu'il votera le jour même Jeanne d'Arc, ne voulant pas choisir entre Valéry Giscard d'Estaing et François Mitterrand. Les militants du Front National sont suivis par les catholiques intégristes, essentiellement ceux de Saint-Nicolas du Chardonnet et de la Contre-Réforme Catholique de l'abbé de Nantes, reconnaissables au Sacré Cœur (le Centre Henri et André Charlier ne participera officiellement, en tant que tel, qu'à partir de 1982, année du lancement de *Présent* quotidien).

Pierre Sidos, qui ne veut pas laisser à son rival Jean-Marie Le Pen le plein bénéfice de l'opération, mobilise à son tour les membres de *l'Œuvre Française*, identifiables à leur « seyant » uniforme bleu agrémenté d'une croix celtique.

D'autres groupuscules extrémistes suivent, les héritiers de *l'Action Française* arrivant comme à leur habitude en derniers, bien en retrait. Cette physionomie est à peu près celle de tous les défilés qui auront lieu jusqu'en 1987.

De 1982 à 1987, le nombre de participants augmente régulièrement, de cinq mille à quinze mille, dont environ la moitié pour le Front National.

A partir de l'année 1988, le défilé de Jeanne d'Arc organisé par le Front National prend la forme que nous lui connaissons aujourd'hui. Le Front National s'est séparé des autres mouvements nationalistes puisque c'est désormais seul qu'il défile, à une date différente. Le cortège n'a en effet plus lieu lors du deuxième dimanche de mai, mais le 1er mai, à l'occasion de la Fête du Travail – c'est-à-dire le même jour que les organisations syndicales de gauche.

De 1988 à 1996, le parcours a plusieurs fois été modifié, mais l'articulation de la journée reste identique. Amenés en car ou en train à Paris, les manifestants rejoignent tôt dans la matinée le point de départ fixé par les responsables. Vers dix heures le cortège s'ébranle en direction de la statue de Jeanne d'Arc, puis du lieu où Jean-Marie Le Pen fera son discours.

Le rassemblement est soigneusement organisé et encadré. En tête : le président, les membres du bureau politique et les élus du mouvement, accompagnés d'enfants vêtus de tricolore. Puis viennent, (en ordre) les fédérations régionales et départementales. De nombreux participants sont habillés en costume folklorique. Enfin, les jeunes du FNJ clôturent la manifestation. La caractéristique principale du cortège, qui frappe aussitôt, est le nombre impressionnant de drapeaux français. La réunion se termine en fin de matinée ou en début d'après-midi par un discours, souvent fort long, de Jean-Marie Le Pen. Celui-ci revêt une particulière importance en période électorale car, en raison de la date, il a lieu alors la plupart des fois en même temps que les scrutins. Tel fut le cas en 1988 et 1995, entre les deux tours des élections présidentielles.

Les universités d'été, destinées aux seuls cadres du mouvement, sont placées sous la responsabilité de Bernard Antony.

Elles se déroulent pour la première fois à Pau, en 1985. Elles rassemblaient à l'origine, sur près d'une semaine, une centaine de participants, qui assistaient chaque jour à des cours de formation politique.

Elles sont organisées le plus souvent dans des villes de villégiature. Après Arles, Montchanin, le Cap-d'Agde, La Baule ou Tours (chez Jean Royer) par exemple, elles se sont tenues en 1995, du 1er au 3 septembre, dans la ville enlevée quelques semaines plus tôt par Jean-Marie Le Chevallier, Toulon. Plusieurs centaines de congressistes étaient présents.

Les universités, à l'inverse des Bleu Blanc Rouge, restent un lieu de travail, cadre de nombreuses interventions, de cours magistraux et de séminaires.

Le dimanche, une fois l'allocution de Jean-Marie **Le Pen** prononcée, l'université se disperse, après un déjeuner.

Les universités d'été constituent l'une des étapes dans la formation des responsables du Front National, mais pas la seule.

La formation des cadres

Pour le Front National, l'année 1996 représente une période d'accalmie puisqu'il n'y a pas d'élections prévues avant deux ans.

D'où la volonté de continuer la stratégie de consolidation qu'il a menée depuis quelques années, sous la conduite de Bruno Mégret, via une formation approfondie de ses cadres. Deux structures ont jusqu'à ce jour rempli cette fonction : *l'Ecole des Cadres* et *l'Institut de Formation Nationale* (IFN). Sous l'impulsion de la délégation générale, l'Ecole des Cadres et l'IFN jouent toujours ce rôle, qui consiste prioritairement à éduquer les responsables locaux du mouvement lepéniste, afin de les rendre crédibles comme candidats du Front National aux élections locales, face à ceux présentés par les partis classiques, principalement du RPR et de l'UDF.

L'Institut de Formation Nationale a pendant longtemps servi de cellule de formation politique à destination des militants. Ses principaux moyens d'action étaient des stages, des initiations aux techniques audio et vidéo, et des conférences de style universitaire. Or, depuis l'adoption de la législation sur le financement public des partis, qui prévoit une réglementation particulière dans le domaine de la formation des élus, l'IFN s'est recentré sur cette seule mission.

Une autre structure vient donc de naître au début de l'année : *l'Institut Français d'Actions Culturelles* (IFAC). Sous la conduite de Bernard Antony, à ce titre directement rattaché à Jean-Marie Le Pen comme directeur des affaires culturelles, l'IFAC a pour vocation spécifique de s'occuper de la formation politique et philosophique des cadres et adhérents non élus du Front National.

Pour Bernard Antony : *« L'IFAC doit développer dans les trois ordres du Vrai, du Beau, du Bon, le soubassement culturel de cette action politique »*. Les responsables de l'IFAC entendent mener des actions décentralisées et produire en province des cycles de conférences. En ce moment, l'IFAC s'occupe surtout d'appuyer le Comité Clovis.

Cette association, dirigée par Bernard Antony, Jean-Baptiste Biaggi et Jean Madiran, a pour finalité de célébrer *« le baptême de la France »*, dans une optique toute traditionaliste et nationaliste.

Les publications

Le principal vecteur de diffusion de la pensée du Front National à destination des adhérents et sympathisants est la *Lettre de Jean-Marie Le Pen*. Adressée automatiquement aux membres à jour de cotisation, ce bimensuel couleurs de seize pages définit les orientations du mouvement et évoque son actualité, une place importante étant consacrée à la vie des fédérations. *La Lettre de Jean-Marie Le Pen* est en quelque sorte la voix officielle du Front National.

Le Front National dispose également de sa propre maison d'édition. A la fin des années quatre-vingt, le parti de Jean-Marie Le Pen se retrouve dans la quasi-impossibilité de faire publier ses ouvrages doctrinaux et de formation, en raison du refus des grands éditeurs. Sont alors fondées au mois de décembre 1990, sous l'impulsion de Bruno Mégret, les *Editions Nationales*. Le premier titre produit par celles-ci : *le Rapport Milloz sur le coût de l'immigration*.

Les ouvrages sont tous rédigés par des responsables du Front National. En 1996, on trouve une vingtaine de livres au catalogue, dont les *300 Mesures pour la Renaissance de la France* (18.000 exemplaires vendus). Egalement disponible, et nourrie d'une ambition hagiographique sans freins, une vie de Jean-Marie Le Pen en bandes dessinées !

Le Front National exploite aussi un serveur minitel 3615.

La consultation en est instructive. Après une page de garde où se côtoient la flamme et un portrait de Jean-Marie Le Pen, de nombreuses rubriques déclinent l'actualité du parti, ou décrivent l'action de ses associations satellites officielles. Il est possible de poser des questions au Front National. Le FNJ y dispose d'une rubrique indépendante. Pour générer de la trésorerie, des jeux d'inspiration nationaliste, comme un quizz sur l'histoire du Front National et la vie de Jean-Marie Le Pen, sont à votre disposition...

Différents organismes dépendent directement du Front National et appartiennent à la structure interne du parti : le *Front National de la Jeunesse*, le *Renouveau Etudiant* et son service d'ordre.

Le Front National de la Jeunesse (FNJ)

Selon un récent rapport des Renseignements Généraux, le Front National de la Jeunesse (FNJ) serait devenu le tout premier mouvement politique militant chez les jeunes.

Jusqu'à une date récente, l'histoire de cette structure était confondue avec celle du Front National, mais dans l'ombre de celui-ci. Depuis peu, le FNJ semble avoir pris une importance toute particulière dans l'organisation du mouvement lepéniste. Il revendique quinze mille adhérents de seize à vingt-cinq ans.

Le Front National de la Jeunesse est fondé par Jean-Marie Le Pen à la fin de l'année 1973, pour remplacer les jeunes éléments partis avec Alain Robert et les dirigeants d'Ordre Nouveau. Il est possible de distinguer trois phases dans la vie du FNJ. La première recoupe les dix premières années d'existence du Front National, marquées par la marginalité. Le FNJ n'est absolument pas structuré. Seuls quelques rares pôles militants vivotent dans certaines villes de France. La seconde période, de 1984 à 1992, voit le FNJ, sous l'impulsion de Carl Lang, Jean-François Jalkh et Martial Bild, s'implanter d'une manière assez uniforme sur le plan départemental, en dépit de troupes le plus souvent clairsemées. La troisième étape, initiée en 1993 par la nomination de Samuel Maréchal à la tête du FNJ, s'inscrit dans un cadre plus stratégique.

Deux objectifs sont en effet aujourd'hui assignés au Front National de la Jeunesse : devenir le vivier des futurs cadres du Front National, par la diffusion chez les jeunes du discours de Jean-Marie Le Pen, et intervenir dans le débat politique au travers de coups plus médiatiques. A ce titre, le FNJ reprend le thème du « populisme », puis affirme que : *« la vague rebelle, c'est la vague Le Pen »*. Son dernier « coup » : le développement du slogan *« ni droite, ni gauche, Français »,* dont nous avons déjà parlé.

Mais le Front National de la Jeunesse demeure d'abord une structure militante, de plus en plus employée par ses « aînés », notamment lors des périodes électorales. Ainsi Jean-Marie Le Pen, à la fin de l'année 1994, décide-t-il de confier au FNJ l'intendance de sa campagne présidentielle, notamment la réalisation du projet de tour de France en caravane.

Dix-huit heures de travail par jour, trente personnes ! Le FNJ, à cette occasion, distribuera plus d'un million de documents de propagande en faveur de son candidat !

Lors des élections municipales de 1995, le Front National fait appel au FNJ pour lui fournir cinq cents jeunes afin de compléter les listes. Le FNJ fait ainsi élire quatre-vingt de ses membres âgés de moins de trente ans.

Le Front National de la Jeunesse est doté d'une assez large autonomie au sein du parti, ce d'autant plus qu'il est dirigé par le gendre du président. Il dispose comme moyen de communication interne d'un journal en couleurs, mensuel de huit pages, *Agir pour faire Front*, distribué au public par l'entremise de *Français d'Abord-La Lettre de Jean-Marie Le Pen*.

Le Front National de la Jeunesse a tenu sa seconde convention nationale le 17 février 1996 à la maison de la chimie à Paris. Devant quelques centaines de délégués, Samuel Maréchal a fait entériner le « ni, droite, ni gauche, Français » ainsi qu'une *charte de la jeunesse française* dont l'orientation ultra-nationaliste ne peut aucunement se prêter à l'équivoque : une occasion pour l'équipe du FNJ de montrer sa force à Jean-Marie Le Pen, Bruno Mégret et Bruno Gollnisch.

Mais comment définir ces jeunes qui décident d'adhérer au Front National de la Jeunesse ? Quelques lycéens et une majorité d'étudiants constituent le gros des bataillons. Quels sont les motifs qui les poussent à rejoindre un parti aussi marqué à droite de la droite ? Ils sont variés et résument bien, semble-t-il, les origines diverses des électeurs actuels du Front National.

Jean, « vieux » militant de la droite extrême, affirme sans traces de complexe : « *Je suis venu au FNJ par souci d'efficacité. Aujourd'hui, seul un mouvement structuré peut prendre le pouvoir* ».

Olivier (lui non plus pas un nouveau venu en politique, ancien adhérent du RPR) explique : « *J'ai appartenu au RPR avant de rejoindre le Front National... sans changer d'idées ! C'est le parti de Jacques Chirac qui s'est renié... Il est devenu peu à peu un mouvement de droite bourgeoise* ».

Eric-Xavier, lui aussi transfuge du RPR, tient le même discours.

Pour Thomas, issu de la gauche et de l'UNEF : « *le Front*

National est la seule formation à lier les questions nationales et sociales ».

Laurent, étudiant en droit et en école de commerce, et bien qu'il s'en défende, tient un langage très Nouvelle Droite : *« Ce qui m'a attiré, c'est surtout le combat culturel parce qu'on s'est rendus compte, avec pas mal d'amis, que la gauche avait monopolisé le domaine culturel. Gramsci dans les années vingt avait dit que lorsque l'on possède la culture on possède tout. Avec ces amis on a essayé de développer le travail culturel. Et pourquoi ne pas profiter d'une structure qui existe actuellement dans le cadre du Front National, avec sa presse, avec ses moyens ? ».*

Quant à Yvain, étudiant en droit et ancien militant d'un groupuscule nationaliste, il résume le parcours type du jeune du FNJ : *« Je suis entré au Front National parce que j'avais des idées nationales dès mon plus jeune âge. J'ai été aux scouts d'Europe. J'ai été un jeune militant..., puis un jour j'ai rencontré des jeunes du Front National dont l'attitude politique et humaine m'a plu, respectable parce que pure... Je me bats avant tout pour que dans ce pays règne un climat plus sain, un climat moral, un climat qui permette de relever l'état de ce pays... Ni gauche, ni droite, ni trusts, ni soviets, nous sommes Français ».*

Le plus jeune frontiste que j'aie rencontré est âgé de douze ans. Originaire de l'Aube, Charles (à l'école en cinquième) paraît très fier d'être l'un des plus jeunes militants du Front National, et explique ainsi son engagement précoce : *« Le langage de Jean-Marie Le Pen est très clair. L'insécurité, la drogue, personne n'en parle ».*

Charles avoue : *« Je ne suis pas compris par mon environnement scolaire. Mes amis de classe connaissent pour la plupart mon engagement, mais je n'en parle pas trop ».*

Plus tard, il veut faire de la politique. Son avis sur l'avenir du Front National : *« Dans sept ans c'est sûr, soit que c'est Mohamed qui est Président, soit que c'est Le Pen ! ».*

Sur son blouson, des autocollants et des badges FNJ. Vêtu d'un tee-shirt du Front National, il distribue aux participants des Bleu Blanc Rouge un petit livret qu'il vient de rédiger : *Dur, dur d'être Français en France*. Illustré de dessins caricaturaux, le texte énumère les «problèmes» de la société.

Le scénario met ensuite en scène Mohamed et Rachid. Rachid appelle son cousin Mohamed pour qu'il vienne en France. S'ensuivent diverses péripéties. Son texte n'hésite pas à conclure : « *C'est acquis, Mohamed recevra de l'argent chaque mois, ce qu'il n'aurait pas eu dans son pays, et d'autres avantages comme la Sécurité Sociale. Il retrouve ses cousins et Mohamed commence sa vie en France. Et voilà, Mohamed agressa des centaines de personnes sans qu'il ne fut jamais arrêté et Mohamed fut heureux en France* ».

Le Renouveau Etudiant

Si, avec le Front National de la Jeunesse, le Front National a réussi à toucher l'ensemble de la population jeune, des lycéens aux actifs, ses dirigeants se sont rendus compte d'un déficit en relais institutionnels dans les facultés – c'est à dire d'un syndicat pouvant concurrencer l'UNI et combattre les UNEF.

Carl Lang fonde alors le *Renouveau Etudiant* en 1990.

Doté d'une relative autonomie par rapport au Front National de la Jeunesse de 1991 à 1995, sous la direction de Michel Murat, il est depuis l'été 1995 placé sous une tutelle plus directe. Samuel Maréchal et Jean-Marie Le Pen préfèrent aujourd'hui faire travailler les deux organisations ensemble, pour un meilleur contrôle et une plus grande efficacité. Le nouveau directeur du Renouveau Etudiant se nomme Samuel Bellanger. Agé de vingt-quatre ans, d'allure sportive, les cheveux courts, ce Normand, ancien responsable du FNJ pour le Calvados, est étudiant en sciences-économiques. Animateur depuis 1992 du Renouveau Etudiant sur Caen, il succède le 30 septembre 1995 à Michel Murat lors du quatrième congrès du Renouveau Etudiant auquel, pour la première fois, assiste Jean-Marie Le Pen.

Le Renouveau Etudiant compte bien investir le monde

universitaire, selon une stratégie dite du « cheval de Troie ». Ainsi, Samuel Bellanger confie : *« On assiste depuis 1995 à un renouveau du Renouveau Etudiant. Nous avons fait notre autocritique. Avant, on avait exclusivement une démarche politique et syndicale. Depuis le quatrième congrès, on a développé d'autres axes de batailles dans le combat culturel. Nous avons mis en place une stratégie offensive, un peu à la façon du marxiste italien Gramsci. Cela consiste à faire passer nos idées dans le milieu universitaire au-delà des voies du syndicalisme étudiant, par l'organisation de conférences, des associations parallèles et des dérivés qui n'apparaissent pas comme officiellement politiques. Nous avons des professeurs qui nous soutiennent ».*

Pour ce qui concerne son positionnement politique et ses liens avec Samuel Maréchal, Samuel Bellanger résume : *« Le Renouveau Etudiant, c'est le Front National de la Jeunesse dans les facs, tout en gardant une base nationaliste assez large pour permettre de récupérer des cadres pour le Front National. On est là pour recruter des cadres pour le Front National ».* Lorsqu'est évoquée l'arrivée d'anciens du GUD au Renouveau Etudiant, il répond sans démentir : *« Je représente le Front National de la Jeunesse dans les facs. Adressez vous à ces formations pour voir ce qu'elles font ».*

Les adversaires principaux du Renouveau Etudiant sont bien sûr les deux UNEF (communiste et socialiste), mais surtout la très chiraquienne UNI. *« L'UNI, on est là pour les détruire ».* Lorsque la discussion aborde l'émergence d'un nouveau syndicat à droite de la droite (un concurrent potentiel) *l'Union Nationale des Etudiants de Droite* (UNED), Samuel Bellanger coupe court : *« ce ne sont pas des nationalistes ».*

Le Renouveau Etudiant vient de décider de relancer sa publication de fond, intitulée *Nouvelle Université*, grâce à la collaboration d'enseignants prêts à y publier des articles de style universitaire.

Les résultats électoraux du Renouveau Etudiant, ou des listes pilotées par lui, sont loin d'être médiocres. Il apparaît même dans de plus en plus de facultés comme un mouvement de première force, avec des élus, au détriment le plus souvent de l'UNI. Il profite pour l'instant du mode de scrutin, la représentation proportionnelle avec répartition des sièges au plus fort. Une réforme des conditions de candidature au CROUS a eu lieu en mars 1996, pour gêner la multiplication des petites listes lors des élections universitaires, ce qui ne l'a pas empêché de se présenter dans de nombreuses académies.

Le service d'ordre : la Défense Protection Sécurité (DPS)

Une des images les plus frappantes, lorsque l'on assiste pour la première fois à un meeting ou à une grande réunion du Front National, reste l'omniprésence d'un service d'ordre qui n'a rien de discret. Le membre du service d'ordre lepéniste est en effet aisément identifiable : de plus ou moins gros gabarit, plutôt gros de préférence, l'air inquiet ou soupçonneux derrière une paire de lunettes noires, genre pilote de chasse, il se reconnaît essentiellement à son uniforme, chemise bleue, cravate tricolore, pantalon gris et blazer bleu marine avec, cousu sur la poche, un écusson vert et rouge frappé du sigle « DPS ».

Ces lettres, mystérieuses au yeux du profane, signifient « Défense, Protection, Sécurité » – les missions théoriques de tout bon garde du corps.

La DPS n'a pas vocation à protéger personnellement les chefs du mouvement lepéniste. Jean-Marie Le Pen a depuis longtemps pris la précaution de faire assurer sa protection par un agent de sécurité aux dimensions herculéennes, à la Schwartzenegger, très dissuasives pour l'agresseur amateur, et dont la fidélité au « patron » est aveugle.

Le rôle de la DPS, selon les dirigeants frontistes : encadrer les rassemblements du parti afin *« d'éviter tout incident, notamment l'intrusion d'éléments indésirables et perturbateurs »*. Ce qui n'empêche pas, lors de ces manifestations, certains membres de la DPS d'être affectés auprès de « figures » du mouvement, la fierté maximum, pour un membre de la DPS, consistant à précéder ou suivre Jean-Marie Le Pen.

La DPS trouve formellement ses origines lors de l'année 1984. Son ancêtre, la « DOM » (Défense Organisation des Meetings) fut créée sous la houlette de Roger Holeindre, responsable des anciens combattants du mouvement, aux fins de défendre les réunions électorales de la campagne des européennes et « *protéger le public contre les attaques violentes des organisations de gauche et d'extrême gauche* ».

Le succès médiatique du Front National – selon l'opinion de ses responsables – impliquait une telle organisation, car les participants aux meetings se faisaient de plus en plus nombreux, des pères de famille aux simples curieux. Les moyens du bord d'avant, c'est-à-dire l'implication d'éléments les plus jeunes et activistes, ne pouvaient dès lors « *ni convenir ni suffire* ».

La Défense Organisation des Meetings est officiellement remplacée par la Défense Protection Sécurité en 1986, à l'occasion des élections législatives. En fonction de la nature de ces échéances, ses caractéristiques, que nous connaissons aujourd'hui, se fixent alors. La DPS n'est pas composée de professionnels, mais de militants rigoureusement sélection nés au sein des fédérations d'après des critères d'âge, d'aspect et... de passé militaire.

Beaucoup de membres de la DPS, en tout cas les plus âgés d'entre eux, sont des anciens combattants d'Algérie et la plupart ont fait leur service militaire dans des régiments « *où on ne pantoufle pas* », selon l'expression de l'un d'eux.

Les élections se présentant souvent comme des scrutins locaux, une organisation décentralisée au niveau régional a été privilégiée. La DPS est avant tout une structure régionale recrutée à partir des fédérations départementales ; c'est là sa principale caractéristique. Une coordination nationale existe cependant. Elle joue un rôle non négligeable lorsqu'il s'agit de prévoir l'encadrement des grandes fêtes du Front National, comme le défilé de Jeanne d'Arc ou les Bleu Blanc Rouge. Elle a été depuis l'origine confiée à d'anciens soldats, peu versés dans le sentimentalisme : Roger Holeindre jusqu'en 1986, le colonel Janbart jusqu'en 1993, puis le capitaine Jean-Pierre.

Aujourd'hui, la Défense Protection Sécurité fait partie intégrante du département sécurité du Front National placé sous la responsabilité de Bernard Courcelle, et ne dépend dans les faits que d'une seule personne : Jean-Marie Le Pen.

Ainsi, selon certains de ses membres, DPS signifierait en réalité : « *Dépendre du Président Seulement* ».

CHAPITRE SEPT

LES COMPOSANTES DE LA GALAXIE FRONT NATIONAL

Bien sûr, le Front National c'est le parti et les démembrements qui s'y rattachent, mais aussi toute une nébuleuse d'associations relais, qui nourrissent de multiples canaux de diffusion de sa pensée auprès du grand public, ainsi que des liens avec de nombreux mouvements nationalistes européens.

Tout ceci correspond à une stratégie volontaire d'influence et de banalisation, plus ou moins secrète – mais toujours discrète. La description des réseaux de la « galaxie Front National » semble donc primordiale dans l'exposition de ce que représente réellement aujourd'hui ce parti.

Les associations relais

A l'occasion de la campagne pour les élections présidentielles de 1988, le Front National prend conscience de l'impact des idées lepénistes dans des milieux jusque-là peu sensibles aux thèses nationalistes. A partir des actions développées par l'équipe de campagne auprès des socio-professionnels, sous la conduite de Bruno Mégret, Jean-Marie Le Pen décide de franchir un pas supplémentaire et d'adopter une vaste stratégie de prospection.

L'équipe dirigeante du Front National est consciente de

la mauvaise image du parti, alors que les idées avancées par Jean-Marie Le Pen obtiennent une large audience.

Quelques années auparavant, des experts du Parti Républicain américain venus faire un audit de la structure lepéniste l'avaient estimée à près de 40 % de l'électorat, à condition de développer la communication auprès des « clientèles » non encore atteintes par le message frontiste.

Jean-Marie Le Pen et le bureau politique du Front National, dans ce but, initient le développement d'organismes susceptibles de diffuser leur idéologie, sans trop heurter par le spectre de l'embrigadement partisan. Ainsi se tisse progressivement la « toile d'araignée » des associations relais et des cercles nationaux. André Dufraisse, ami intime de Jean-Marie Le Pen, à qui avait été confiée cette mission au sein d'*Entreprise Moderne et Liberté* (EML) avait bien résumé la situation : *« Au Front, on cherche à structurer, ici l'influence nous suffit »*.

La finalité de chaque association amie et de chaque « cercle national » (c'est le terme générique choisi par les responsables du Front National pour dénommer la plupart des nouvelles structures) : *« répondre aux préoccupations spécifiques de chaque catégorie socio-professionnelle »* mais aussi débusquer des sympathisants, futurs cadres du parti ou futurs soutiens aux comités de parrainage des campagnes électorales, notamment des présidentielles.

Beaucoup de structures sont ainsi créées ou confortées. Certaines sont véritablement au cœur du « système Le Pen », comme *Entreprise Moderne et Liberté*. D'autres apparaissent vite comme plus accessoires. Quoi qu'il en soit, il est primordial de bien percevoir que tous ces organismes que nous allons présenter, associations sympathisantes du Front National ou cercles nationaux, participent d'une stratégie commune de conquête discrète, mais néanmoins déterminée, de nouvelles sources d'influence puissantes et efficaces.

Les Comités d'Action pour le Renouveau (CAR)

Les Comités d'Action pour le Renouveau ne sont que la

pâle mouture frontiste des Comités d'Action Républicaine, plus connus sous le nom de CAR, créés par Bruno Mégret après 1981.

Bruno Mégret, à l'époque un notable du RPR, membre du comité central de ce parti, décide de réagir contre l'alternance socialiste en créant un club politique de réflexion à l'attention des cadres moyens issus de la bourgeoisie de droite. Les CAR sont alors fondés le 1er janvier 1982, avec le concours de Jean-Claude Bardet, membre de la Nouvelle Droite et ancien de l'Algérie française.

Les CAR suivent son président, Bruno Mégret, dans son ralliement au Front National à la fin de l'année 1985. Ils participent de la stratégie de « rassemblement national » décidée pour les législatives de 1986. Bruno Mégret, directeur de la campagne présidentielle de Jean-Marie Le Pen, abandonne la présidence des CAR en 1988. Ceux-ci ne sont véritablement relancés par Jean-Claude Bardet qu'à partir de 1990. Sous la nouvelle appellation de Comités d'Action pour le Renouveau, ils participent à la campagne contre le traité de Maastricht en organisant, à cette occasion, un colloque qui réunit, autour du président du Front National, des personnalités comme l'aviateur Pierre Clostermann, l'ancien ministre Joseph Comiti et le président du Club de l'Horloge, Henry de Lesquen. Depuis ce colloque, ils n'ont que très peu retenu l'attention et leur activité semble des plus réduites.

Les Comités Chrétienté-Solidarité

Les Comités Chrétienté-Solidarité sont l'œuvre de Bernard Antony-« Romain Marie » qui les fonde en 1981. Ils rejoignent la mouvance du Front National au cours de l'année 1984, en même temps que leur créateur, à l'occasion de la campagne des européennes. Les Comités Chrétienté-Solidarité avaient pour but initial le développement du réseau de diffusion de la revue du Centre Henri et André Charlier, intitulée Chrétienté-Solidarité. Ils sont, à partir de 1983, les véritables organisateurs du pèlerinage traditionaliste de Pentecôte vers Chartres. C'est essentiellement ce qui a fait leur succès, et a attiré à eux nombre de catholiques intégristes ou traditionalistes.

A l'instar de Bernard Antony, pourtant proche de Monseigneur Lefèbvre, les Comités Chrétienté-Solidarité ne suivent pas le schisme provoqué par le clergé d'Ecône et de Saint-Nicolas du Chardonnet. Ils restent fidèles au Pape Jean-Paul II. Ils n'en conservent pas moins une vision des plus traditionaliste du catholicisme, fort éloignée des recommandations du concile Vatican II.

Les Comités Chrétienté-Solidarité forment un des relais du Front National à l'étranger, en particulier auprès des groupes chrétiens du Liban et d'Europe de l'Est. Ils sont aussi en relation étroite avec de nombreuses organisations de guérillas chrétiennes antimarxistes.

Les Comités Chrétienté-Solidarité rassemblent les éléments les plus militants du traditionalisme catholique frontiste. Ils constituent depuis 1984 l'armature du défilé du 1er mai consacré à Jeanne d'Arc, et jouent un rôle aujourd'hui essentiel dans la vie interne du Front National, ainsi que dans l'orientation dogmatique de celui-ci.

Les Comités Chrétienté-Solidarité éditent une revue mensuelle, de trente ou huit pages selon les mois, *Reconquête*, où, sous le signe de la croix et de leur devise : « *Dieu-Patrie-Famille* », est exposée leur vision catholique et nationaliste de l'identité française. Y sont très souvent attaqués ceux qu'ils considèrent comme les suppôts de l'« *anti-France* », notamment les « *lobbies juifs* » et la franc-maçonnerie. *Reconquête* compte aujourd'hui près de mille deux cents abonnés.

Bernard Antony et les Comités Chrétienté-Solidarité ont créé une structure en 1995 pour commémorer en 1996 le mille cinq centième anniversaire du baptême de Clovis. Le *Comité Clovis*, qui a pour président d'honneur maître Jean-Baptiste Biaggi (une des figures de la droite extrême française) regroupe des « intellectuels » proches du Front National.

Il convient ici de présenter une autre association proche du Front National dirigée par Bernard Antony : *l'Alliance*

Générale contre le Racisme et pour le respect de l'Identité Française et chrétienne (AGRIF).

L'AGRIF, fondée en 1985, a pour objet unique de combattre le *« racisme antifrançais »* devant les tribunaux, d'être une sorte de contre-SOS Racisme ou une anti-LICRA. L'AGRIF publie une lettre bimestrielle, *La Griffe*, où sont relatés de façon non-neutre les compte-rendus et verdicts des procès entamés par ou contre l'association.

Entreprise Moderne et Liberté

Entreprise Moderne et Liberté est une association ancienne du Front National, puisque fondée directement au sein du parti en 1984 par «Tonton Panzer» (surnom d'André Dufraisse). L'association a pour but officiel : *«la promotion des libertés économiques nécessaires à l'adaptation des entreprises à l'économie moderne»*. Derrière cette finalité, se cache un dessein plus concret : la prospection dans le monde professionnel et chez les chefs d'entreprise de relais pour le Front National.

Ainsi, sous l'impulsion de ses responsables, André Dufraisse et Jean-Michel Dubois, des passerelles ont été lancées à la fin des années quatre-vingt en direction de plusieurs secteurs clefs de l'économie : l'industrie, la finance, les transports (aviation, RATP, routiers)... Les contacts personnels et la décentralisation sont les méthodes recommandées par André Dufraisse : *« Nous avons un ami qui a des contacts suivis avec leurs organisations. On leur envoie des papiers. On ne leur demande rien, ils ne nous demandent rien... et çà roule ! »*.

Entreprise Moderne et Liberté, en raison de sa position centrale dans le secteur économique, a joué en réalité, selon les avis de nombreux observateurs, un rôle déterminant dans le financement du Front National – du moins jusqu'à l'adoption de la législation sur le financement des partis politiques, au début des années quatre-vingt-dix.

Depuis le décès récent d'André Dufraisse, c'est le seul Jean-Michel Dubois qui préside aux destinées d'EML. Agé d'une cinquantaine d'années, issu du **RPR**, Jean-Michel Dubois est conseiller régional d'Ile-de-France. Ami de Jean-Marie Le Pen, il est considéré comme l'un des grands argentiers du Front National. A la tête d'EML, il règne sur une vingtaine de cercles déconcentrés (santé, justice, fonction publique, banque, entreprise...), sur près de trois mille adhérents et environ dix mille sympathisants revendiqués.

Le succès d'Entreprise Moderne et Liberté, jointe à la nouvelle stratégie de développement auprès des milieux du monde du travail, a conduit Jean-Marie Le Pen, en mars 1996, à décider la transformation de cette structure en un « syndicat socio-professionnel » appelé *Confédération Nationale Entreprise Moderne et Liberté* (CNEML). La CNEML s'organisera désormais en trois pôles : coordination PME-PMI, coordination des artisans de France et coordination des professions libérales.

Dans les prochains mois, l'accent va tout particulièrement porter sur les actions auprès des artisans et des commerçants. Ils constituent en effet la cible idéale pour le Front National, tant monte chez eux le mécontentement contre les organismes de protection sociale et contre les pouvoirs publics. La *Confédération de Défense des Commerçants et Artisans* (CDCA) sert à l'heure actuelle de fédérateur à cette contestation, souvent marquée par le désespoir et la plus extrême violence.

Les liens de la CDCA avec les milieux d'extrême droite ont souvent été avancés, du fait notamment de la présence en son sein de Jean-Gilles Malliarakis, créateur de *Troisième Voie*, une organisation de type GUD.

Si des liens entre l'extrême droite entre la CDCA sont ainsi subodorés, rien jusqu'à ce jour ne permet de prouver une influence directe du Front National sur cet organisme. La création de la cellule EML de coordination artisans-commerçants viendrait plutôt démontrer le contraire. Il faut donc percevoir cette mutation comme une volonté de concurrencer la CDCA afin, à terme, de récupérer politiquement un électorat potentiellement favorable.

L'Association pour la Suppression de l'Impôt sur le revenu et la REforme Fiscale (ASIREF)

L'Association pour la Suppression de l'Impôt sur le revenu et la REforme Fiscale (ASIREF) est une création de l'universitaire Jean-Claude Martinez, afin de diffuser auprès du grand public ses idées originales en matière de fiscalité et de finances publiques. La tentative de la transformer en Cercle National des Contribuables, c'est-à-dire d'afficher la couleur frontiste, a d'ailleurs été un échec, tant l'ASIREF procède avant tout de son fondateur. Elle rassemble des adhérents qui ne sont pas tous membres du Front National, mais qui viennent pour écouter religieusement Jean-Claude Martinez, à l'exemple de ses étudiants ou anciens étudiants du doctorat de finances publiques et fiscalité de l'Université Paris II.

Jean-Claude Martinez, par sa bonhomie méditerranéenne, a su garder de nombreux contacts avec des personnalités politiques de gauche ou de droite. Ainsi Edouard Balladur, il y a quelques années, a-t-il été l'invité d'un colloque organisé par Jean-Claude Martinez, et, selon l'avis de proches de l'ancien Premier ministre, ce dernier lui conserverait toujours une certaine sympathie.

L'ASIREF édite tous les mois *La Lettre aux Contribuables,* un journal à mi-chemin entre la publication spécialisée et le journal grand public. L'actualité fiscale y est privilégiée, en particulier la critique sévère des projets et mesures du gouvernement français ou de Bruxelles. *La Lettre aux Contribuables* consacre aussi, dans chaque numéro, une page à la fiscalité dans les autres pays

L'ASIREF organise chaque année deux grandes manifestations. La première, *l'Université de Printemps*, est placée sous le seul signe universitaire, toute référence au Front National étant soigneusement gommée. Elle rassemble à Nice (à l'Hôtel Westminster) des universitaires ou des professionnels de la fiscalité, français et étrangers, qui n'ont aucun lien avec le Front National, afin de traiter de sujets importants en finances publiques.

En 1996 le thème était « *une Constitution fiscale pour l'Eu-*

rope », sous la présidence d'honneur de Jacques Blanc (président UDF du Conseil Régional de Languedoc-Roussillon).

La seconde manifestation, elle au contraire, est placée sous le parrainage de Jean-Marie Le Pen et s'apparente au militantisme frontiste le plus pur.

Sorte de prix « Citron » en matière fiscale, le *Prix Danaïdes* des finances locales couronne l'élu local le plus dispendieux des deniers publics. L'homme politique ainsi « récompensé », par un hasard curieux, est toujours un adversaire farouche du Front National, souvent membre du RPR ou de l'UDF.

La « cérémonie » se tient tous les mois de novembre à Paris, sur un bâteau-mouche d'une compagnie appartenant à l'un des soutiens financiers connus de la droite nationaliste.

L'ASIREF est restée une association marquée par son fondateur et n'a pas voulu répondre à la stratégie de « quadrillage » désirée par Bruno Mégret. Elle reste à cheval entre l'association de contribuables et le mouvement associé au Front National. Il semble difficile pour elle de sortir de cette ambiguïté, car une trop grande proximité avec le parti lepéniste ferait fuir nombre des adhérents actuels ou potentiels.

Son influence, en particulier dans le monde universitaire et scientifique, existe. Mais elle a pour principale faiblesse l'âge relativement élevé de ses membres, en majorité des retraités. L'ASIREF compte actuellement près de trois cents membres abonnés à la revue, d'où une récente volonté affichée de sortir de son fonctionnement élitiste et de se doter de relais dans chaque département, grâce à l'appui des fédérations du Front National.

Fraternité Française

Fraternité Française, association caritative créée par le Front National en 1988 sur une initiative conjuguée de Jean-Marie Le Pen et de Jean-Pierre Stirbois, est aujourd'hui dirigée par une femme, Mireille d'Ornano (conseiller régional de Provence-Alpes-Côte d'Azur), assistée de Jean-Pierre Blanchard.

Fraternité Française dépend du président du Front National et connaît un développement important à partir de 1990, sous l'impulsion de Bruno Mégret. A la suite de « *l'accroissement du phénomène de la nouvelle pauvreté du fait des septennats socialistes* », le délégué général du Front National a souhaité faire de cet organisme caritatif un modèle d'aide sociale « française ».

La principale caractéristique de Fraternité Française : son aide est sélective. Ses mots d'ordre en disent plus long que de savants discours : « *Préférence nationale, les Français d'abord* » et « *Les Français aident les Français* ».

Donc, Fraternité Française organise des collectes à destination des seuls nationaux déshérités. Les étrangers n'ont aucune chance d'accéder à ses services, du fait du système de parrainage mis en place. Les familles en détresse soutenues sont exclusivement celles signalées par un membre ou un sympathisant du Front National.

Fraternité Française mène des actions sociales diversifiées et réelles : banque alimentaire, vêtements, médicaments, vacances pour les enfants, conseils d'assistantes sociales dans ses permanences... Par ce type d'initiatives, le Front National fait progresser son image au sein des couches populaires en difficulté et lui permet d'expérimenter *in vivo* ses concepts de la préférence nationale en matière sociale.

L'implantation de Fraternité Française est nationale. Les fédérations départementales du parti servent de relais pour son action. Les principales antennes se situent à Bordeaux, Marseille, Grenoble, Nice, Lyon et Besançon.

Le Front Anti-Chômage

Comme son nom permet de le supposer, le Front Anti-Chômage, fondé en 1987 par Noël Lantz et Jacques Deschanel, confié en 1995 à Michel Bayvet, sert à lutter contre le chômage. Mais là aussi, à l'image de Fraternité Française, un critère préalable : être Français.

Ici pas besoin de parrainage, car, tout naturellement, de

l'aveu même de ses responsables, jamais un immigré ne s'est adressé à cet organisme pour trouver un emploi.

En fait, le rôle du Front Anti-Chômage est en quelque sorte celui d'une ANPE nationaliste au sein du parti. Son secrétaire général, Jacques Deschanel, procède essentiellement par la mise en relation directe de chefs d'entreprises frontistes avec les demandeurs qu'il a sur ses listes. Le circuit reste donc interne au Front National. Selon les statistiques des animateurs du Front Anti-Chômage, sur deux mille cinq cents dossiers traités entre 1987 et 1992 près de mille auraient connu une issue favorable. Le Front Anti-Chômage édite de manière régulière une lettre de liaison appelée *Le Travailleur Français*. Elle comporte l'adresse de ses correspondants régionaux et départementaux, ainsi qu'une page de petites annonces.

La dernière action du Front Anti-Chômage : la réalisation d'un « chéquier emploi » qui permet, sur un même formulaire, de collecter demandes et offres d'emploi – l'analyse du curriculum vitae du chômeur ou une consultation juridique gratuite lui étant garantie.

Les **cercles nationaux** restent les satellites les plus visibles du Front National. Leur dénomination même trahit l'emprise du Front National sur leurs structures, en réalité un simple démembrement du parti. Cette marque visible gêne, plus souvent qu'elle ne les aide, les cercles dans leur discrète prospection de nouveaux membres.

Autrefois placés sous la responsabilité de Martial Bild, ils dépendent du secrétariat général. Jusqu'à une date récente, beaucoup n'étaient que des coquilles vides. Bruno Gollnisch vient de confier à Pierre Descaves leur réorganisation sur le plan national. Selon les propres propos de Bruno Gollnisch : « *La relance des cercles nationaux sera une opération de longue haleine* ».

Le Cercle National des Combattants

Voici le cercle le plus officiellement estampillé Front National, en raison de la personnalité même de son responsable, Roger Holeindre.

Roger Holeindre, surnommé « Popeye » en raison notamment de sa ressemblance avec le célèbre marin amateur d'épinards, est un vieux routier de l'extrême droite.

Partisan de l'Algérie française, membre de l'OAS (condamné à quatorze ans de prison), directeur de la campagne « jeunes » de Jean-Louis Tixier-Vignancour, il participe en 1972 à la fondation du Front National et peut présenter à ses pairs un passé vierge de tout militantisme à gauche ou au centre.

« Grand reporter » et écrivain, Roger Holeindre se définit avant tout comme un soldat. Jeune FFI en 1944, commando parachutiste en Indochine puis en Algérie, c'est à ce titre qu'il s'occupe du service d'ordre puis des anciens combattants au sein du Front National.

Il fonde en 1985 le Cercle National des Combattants, avec pour ambition affichée : *« la défense matérielle et morale des anciens combattants ».* Il ne faut pas oublier que les anciens combattants constituent un des terreaux de prédilection du Front National qui, en échange, cultive auprès de ceux-ci une mythologie et une nostalgie militaristes. Ainsi, lors des manifestations du Front National, à la différence de celles des autres partis français, il s'avère courant de rencontrer d'anciens vétérans coiffés de leur béret rouge ou vert, la poitrine barrée de médailles – souvent *« pas récoltées à l'arrière ».*

Le Cercle National des Anciens Combattants est propriétaire, dans le Cher, du château Saint-Louis de Neuvy-sur-Barangeon. Cette splendide demeure, qui sert de cadre aux principales activités du cercle, a pour intérêt anecdotique d'avoir appartenu à l'ancien empereur de Centrafrique, Jean-Bedel Bokassa. Roger Holeindre fut un proche de Bokassa, puisqu'en 1984-85 il l'a aidé dans la rédaction de ses *Mémoires d'exil* et a animé, en 1986, un comité de soutien en sa faveur.

Le Cercle National des Combattants, sans nul doute l'un des cercles nationaux les plus actifs, revendique plus de cinq mille membres et organise chaque mois de juin, à leur attention, une grande fête champêtre autour de vedettes du spectacle. Daniel Guichard et l'illusionniste José Garcimore se sont ainsi produits devant les anciens combattants frontistes.

Le Cercle National des Combattants possède une branche jeune dénommée *Les Cadets de France et d'Europe*. Destinée aux enfants (garçons et filles) de membres du cercle ou du Front National, âgés de huit à quinze ans, les Cadets ressemblent par bien des aspects à un mouvement scout (randonnées, secourisme, feux de camp, topographie...), mais dans une version musclée, qui rappelle des structures plus anciennes.

Les Cadets portent un uniforme, marchent au pas, prêtent serment au drapeau *(« Je jure fidélité au drapeau de notre France et reconnaissance à mes aînés qui l'ont, jusqu'à ce jour, sauvegardée »)*, sont organisés en promotion (« Jeanne d'Arc » pour 1995), et suivent des cours *« d'éducation civique et patriotique »*. Leur devise : *« Honneur et patrie, valeur et discipline »*.

Le Cercle National des Combattants a pour emblème un chevalier en armure, avec la flamme frontiste comme prolongement de son heaume. Il publie une revue baptisée *Etre et Durer* qui relate les activités du cercle.

Le Cercle National des Femmes d'Europe

Le Cercle National des Femmes d'Europe, lui aussi fort dynamique, est fondé au mois de mai 1985 par Martine Lehideux, avec le concours d'Ariane Biot et Denise Kohler.

Il se donne pour objectif principal la promotion des idées du Front National pour tout ce qui a trait à la femme et à la famille.

Martine Lehideux, par ailleurs présidente de la fédération parisienne du Front National, et véritable cheville ouvrière du Cercle, s'est servie de son mandat de député européen pour exposer la doctrine lepéniste développée au sein du cercle à l'assemblée de Strasbourg. Le discours paraît marqué par le traditionalisme droitier le plus conservateur. Le slogan du cercle : « *remettre la famille et les femmes à leur vraie place, c'est-à-dire à l'honneur* » signifie de manière implicite qu'aujourd'hui la famille et les femmes ne sont pas à leur place.

En matière familiale, les propositions vont toutes dans un sens identique : permettre aux femmes de demeurer chez elles afin d'élever leurs enfants.

L'autre point phare du programme est l'abrogation de la loi Veil sur l'interruption volontaire de grossesse. En ce qui concerne l'éducation, l'accent est mis sur le libre choix de l'école et la restauration des cours de civisme, ainsi que sur « *la lutte contre la marxisation de l'enseignement, la drogue, la pornographie et le Sida* »

Le Cercle National des Femmes d'Europe est non seulement un « club de réflexion » à destination des femmes proches du Front National, mais il participe également à nombre d'actions politiques, comme les manifestations anti-avortement. Son influence n'est pas à négliger, tant au sein du Front National – du fait de sa forte structuration (délégations départementales) – qu'auprès des milieux conservateurs français et même étrangers, puisque des antennes se développent dans plusieurs pays d'Europe.

Chaque trimestre, le Cercle National des Femmes d'Europe publie un bulletin qui porte son nom, et organise tous les ans, au printemps, un congrès auquel participent les principaux dirigeants du Front National.

Le Cercle National des Agriculteurs de France

Le Cercle National des Agriculteurs de France (CNAF) est la seconde structure dont s'occupe le tonitruant Jean-Claude Martinez.

Le CNAF est fondé en 1990 par lui et Alexis Arette, dans le but de propager dans le milieu paysan la doctrine du Front National. L'image du parti au sein du monde rural n'est pas toujours excellente. L'objectif – non atteint – : pénétrer le syndicalisme agricole et exploiter les forts mécontentements de ces dernières années, devenir une « coordination rurale nationaliste ».

Selon Jean-Claude Martinez: *« l'évolution est déjà colossale depuis six ans. Nous piloterons des listes aux prochaines élections des chambres d'agriculture »*. A cette fin, il s'est signalé au sein du Parlement européen par le nombre important de discours qu'il a prononcés au titre de « défenseur de l'agriculture française », avec un intérêt tout particulier pour les viticulteurs de son département, l'Hérault.

Le Cercle National des Agriculteurs de France édite une publication mensuelle à l'intention de ses adhérents et sympathisants, *La Lettre aux Paysans*, ainsi que, plus ponctuellement, *Le Paysan National*.

Les principales propositions que le CNAF développe à cette occasion : la suppression de la taxe foncière non-bâtie, la suspension des droits de succession en cas de transmission de l'exploitation au sein de la famille, l'exonération de cotisations sociales agricoles ainsi que l'application la plus stricte de la préférence communautaire.

Depuis deux ans, le Cercle National des Agriculteurs de France dispose d'un stand au salon de l'agriculture à Paris, salon où Jean-Marie Le Pen, accompagné de Jean-Claude Martinez, fait une visite régulière, à l'instar de nombres d'hommes politiques.

Le Cercle National des Gens d'Armes

Le Cercle National des Gens d'Armes s'est développé à partir de 1993 sous l'impulsion du colonel Gérardin, ancien responsable de la garde de la Présidence de la République.

Il a pour but de recruter au sein des personnels militaires, essentiellement en activité. C'est un moyen pour le Front National de pénétrer un milieu officiellement apolitique et interdit de syndicalisme, mais qui se présente en réalité comme assez favorable aux thèses développées par Jean-Marie Le Pen. Il publie un organe d'information à destination de ses sympathisants, *Le Glaive*.

Le Cercle National de la Presse

Sous la direction du « patron » de *National Hebdo*, Jean-Claude Varanne, ce cercle à l'état embryonnaire se donne pour ambition de créer un « syndicat de la presse nationale ».

Le Cercle National des Rapatriés

Les rapatriés forment une des composantes essentielles du vote Front National, en particulier dans le sud de la France.

En 1987, Jean-Marie Le Pen demande à Pierre Sergent ainsi qu'à l'un de ses fidèles, Albert Peyron, aujourd'hui conseiller régional de Provence-Alpes-Côte d'Azur, de prospecter ce milieu déjà assez bien structuré et doté d'organisations d'assistance puissantes comme *Le Recours*. Ils décident donc, afin de mieux faire passer le message lepéniste, de créer le Cercle National des Rapatriés.

Un des buts officiels du cercle : obtenir du gouvernement l'indemnisation totale des pieds-noirs. Dans les faits, cette finalité semble secondaire. L'objectif premier du Cercle National des Rapatriés reste la réhabilitation du passé colonial de la France, ainsi que de la lutte Algérie française, OAS y compris.

Le Cercle National des Droits et des Libertés

Présidé par l'avocat Jean-Baptiste Biaggi (ancien résistant gaulliste ayant rompu avec le général De Gaulle lors de la guerre d'Algérie) l'activité de cette récente cellule, destinée aux professionnels du monde juridique, semble actuellement balbutiante.

Le Cercle National des Corps de Santé

Placé sous la responsabilité du docteur Jacques Lafay, ce cercle a pour but l'implantation du message lepéniste auprès des médecins libéraux et hospitaliers, notamment en ce qui concerne la réforme du système de protection sociale. Il milite pour la mise en concurrence de la Sécurité Sociale avec des assurances privées. Il a permis l'adhésion en 1995, d'un nombre important de médecins au comité de soutien présidentiel de Jean-Marie Le Pen.

Le Cercle National pour la défense de la vie, de la nature et de l'animal

S'il est bien une préoccupation que l'on ne s'attend pas à retrouver dans un mouvement politique, et en particulier au Front National, c'est bien celle de la défense de la cause animale.

Présidé par Alika Lindbergh, puis, jusqu'à son décès, par Jacques Tauran (ex-poujadiste et ancien membre du Conseil économique et social), voilà en quelque sorte l'association « écolo » du Front National.

Ses principaux chevaux de bataille : la lutte antivivisection, la dénonciation de *l'abattage rituel* (le cercle rejoint ici, par la bande, les thèmes anti-immigration) et la défense des paysages.

A ce dernier titre, le Cercle National pour la défense de la vie, de la nature et de l'animal s'est principalement fait remarquer par son opposition farouche au projet de nouveaux barrages sur la Loire.

Le Cercle National Chasse Pêche Nature

A l'opposé du cercle précédent, ce nouveau cercle national (fondé au début de l'année 1996 par Jean-Pierre Schénardi, conseiller régional d'Ile-de-France), comme son nom l'indique, entend s'opposer aux mesures (forcément iniques) prises à Bruxelles. Il s'agit là pour le Front National de canaliser le fort mécontentement de ces populations, et de les ramener à lui, grâce à leur réflexe anti-européen.

Le Cercle National des Retraités et Pré-retraités

Sociologiquement, les retraités incarnent une aubaine électorale pour le Front National. Les sondages à l'issue des consultations électorales ou les études prévisionnelles en matière de vote le confirment. Le retraité vote plus souvent que la moyenne pour le Front National. Jean-Marie Le Pen et les dirigeants du Front National, conscients de leur impact auprès de cette catégorie de citoyens, décident en 1992 de fonder le Cercle National des Retraités et des Préretraités, qu'ils confient à Claude Runner.

Voilà un des cercles qui s'est le plus développé au cours des derniers mois. Il doit certainement son expansion à ses méthode de travail. Plus qu'un simple cercle de réflexion, il offre à ses adhérents et sympathisants une véritable aide concrète, livre des renseignements pratiques dans une matière rendue complexe par le législateur. Il vient ainsi d'éditer un *Guide du départ à la retraite*, qui traite de tous les aspects de la question.

Le Cercle National des Retraités et Pré-retraités publie aussi une revue trimestrielle de seize pages intitulée *Notre Combat pour les Retraites* et organise en outre des réunions et des conférences. La dernière, le 27 février 1996 à Paris, salle de la Mutualité, a rassemblé près de deux mille personnes autour de Jean-Marie Le Pen et de Bruno Gollnisch. Participait en invité « vedette » à cette manifestation Alain Dumait, dissident de la majorité parisienne RPR-UDF, dont le ralliement officiel au Front National n'est sûrement plus qu'une question de mois.

Le Cercle National de l'Enseignement

Présidé par Olivier Pichon, professeur agrégé et conseiller régional d'Ile-de-France, le Cercle National de l'Enseignement sert de relais pour le Front National auprès du milieu enseignant du primaire et du secondaire. Il ne semble apparemment pas que ce soit pour l'instant une réussite. C'est pourquoi il est question, dans un but de discrétion, de confirmer la transformation du Cercle National de l'Enseignement en un *Mouvement pour l'Education Nationale* (MEN). Pas assez puissants pour monter leur propre syndicat et présenter leurs propres listes, les dirigeants du MEN appellent à faire de l'entrisme auprès du *Syndicat National des Lycées et des Collèges* (SNALC).

Le Cercle National de Défense des Handicapés

Présidé par Marie-Christine Arnautu, le Cercle National de Défense des Handicapés a pour but principal d'informer les élus en ce domaine, ainsi que *« d'intégrer ce sujet dans tous les débats sociaux des commissions thématiques du Front National »*.

Les propositions de ce cercle ne diffèrent guère de celles des associations indépendantes de défense des handicapés, si ce n'est dans l'une d'entre elles, marquée par le sceau de la préférence nationale : il s'agit de la prise en charge des frais de traitements des handicapés immigrés par leurs pays d'origine (ce qui revient à leur supprimer toute aide française).

Le Cercle National des Automobilistes et de la Route

Dans le cadre de la politique de développement des cercles nationaux, le Front National cherche à déterminer les « niches » ciblées de population à important potentiel revendicatif.

S'il est un personnage de la société française qui se sent continuellement exploité, véritable « vache à lait » ou « pompe à fric » de l'Etat, c'est bien (mis à part le contribuable) l'« homo automobilis », le conducteur. D'où la préoccupation pour le parti lepéniste de susciter une structure pouvant servir de réceptacle à son mécontentement. C'est ainsi que, sous l'impulsion de Martial Bild, alors délégué général du Front National aux actions catégorielles, s'est créé le 20 mai 1992 le Cercle National des Automobilistes et de la Route. Porté sur les fonds baptismaux par le président du Front National en personne, ce cercle est dirigé par Prost. Il ne s'agit pas bien sûr d'Alain Prost, mais d'un simple homonyme, Grégory Prost.

Grégory Prost, jeune espoir du Front National âgé aujourd'hui de seulement vingt-six ans, est le représentant du parti lepéniste dans le département de Seine-et-Marne. A ce titre, il s'est fait récemment connaître sur le plan national en décembre 1995, à l'occasion d'une législative partielle dans la troisième circonscription de ce département. Arrivé en tête des candidats de droite avec 22 % des suffrages, Grégory Prost a ainsi atteint le second tour où, opposé à un chevènementiste, il fut battu par 60 % des voix.

En dépit, dès sa fondation, de la collaboration étroite à l'action du Cercle National des Automobilistes et de la Route de plusieurs personnalités du monde de l'automobile, comme par exemple le très médiatique avocat parisien maître Eric de Caumont, le cercle n'a pas connu la réussite escomptée par ses initiateurs.

Le programme était pourtant alléchant : lutte contre le permis à points, dénonciation des radars dissimulés, renforcement des règles de sécurité, généralisation du système de freinage anti-blocage... Mais le point le plus original exposé par cet organisme résidait sans nul doute dans l'établissement en France, pour des raisons assez obscures, de la priorité à gauche.

Ainsi la presse put-elle titrer avec malice : « *Le Front National pour la priorité à gauche* », « *Jean-Marie Le Pen : priorité à gauche* » ou, dans un autre registre, « *Le Pen s'achète une conduite* ».

Une tentative de relance du *Cercle National des Automobilistes* (et plus « de la Route ») a eu lieu en 1995, avec notamment l'édition d'une revue de quatre pages intitulée *La lettre des automobilistes*, dont le second numéro fut distribué lors de la fête des Bleu Blanc Rouge de septembre 1995. Malgré ce galop d'essai, il semble que le nombre d'adhérents à cette structure stagne à un niveau fort bas, car le cercle n'offre pas à ses membres les services de renseignement et d'assistance qu'ils peuvent trouver auprès d'associations similaires, plus célèbres et politiquement indépendantes.

Comme nous pouvons le constater, le Front National fait « feu de tout bois » afin de diffuser son idéologie dans les différents milieux de la société française.

Dès qu'une cible intéressante est identifiée, le Front National envisage la constitution soit d'une association soit d'un cercle national. Il en confie la direction à l'un de ses cadres, toujours choisi parmi les plus fidèles. L'objectif : pas toujours faire du « chiffre » en terme d'adhérents, mais privilégier les retombées en influence.

Il est difficile d'établir un bilan synthétique de l'impact des cercles nationaux. Ce qui est certain : ceux-ci contribuent à la banalisation de l'image et des idées du Front National auprès des populations touchées par leur message.

Les syndicats

Si l'action des cercles nationaux vise les milieux socio-professionnels, une nouvelle stratégie vient d'être discrètement élaborée en 1995 « au plus haut niveau » – c'est-à-dire sous l'impulsion de Jean-Marie Le Pen et du délégué général, Bruno Mégret – pour atteindre cette fois le cœur du « monde du travail ».

C'est ce que nous pouvons dénommer « la stratégie syndicale » du Front National.

Le Front National, confronté à une période de deux années sans élections, compte sur cette pause pour développer son implantation. Jusqu'à aujourd'hui, l'implantation correspondait uniquement à celle des associations relais, essentiellement par les cercles nationaux. L'implantation n'avait d'ailleurs que très médiocrement réussi.

Bruno Mégret le reconnaît, selon lui : *« Les circonstances n'étaient pas mûres »*. Un changement notable de stratégie s'est donc opéré ces derniers mois. Le président du Front National a donné carte blanche au délégué général afin que celui-ci aille *« au-devant des Français, dans leurs préoccupations les plus quotidiennes »*.

Jusqu'à présent, le Front National touchait les électeurs

sur des grands thèmes répulsifs. Désormais, il entend privilégier le terrain de leurs attentes professionnelles et personnelles, avec pour autre effet (non affiché, lui) de compléter ce que les dirigeants du Front National appellent la « dédiabolisation » de leur parti. L'implantation passe pour le Front National en 1996 par la conquête du monde du travail, via les syndicats.

La première étape a consisté à préparer le terrain en noyautant les syndicats déjà existants. Il paraîtrait que certaines cellules entières de Force Ouvrière seraient aux mains de militants lepénistes. Le poids des frontistes au sein de Force Ouvrière est déjà nettement visible dans les transports, en particulier à la RATP ou à la SNCF. Même la CGT est touchée, essentiellement chez les dockers.

La seconde étape : la création de syndicats ouvertement estampillés Front National. Ceux-ci seront issus des cercles nationaux ou seront souvent une pure création. Afin de vérifier la pertinence de sa démarche, Bruno Mégret a procédé fin 1995 à un ballon d'essai avec le *Front National Police*.

Le Front National Police fut créé à l'automne dernier par Jean-Paul Laurendeau, ancien secrétaire général de la FPIP, syndicat policier ouvertement de droite. Reprochant à la FPIP ses liens avec le RPR et le CNI, Laurendeau l'a quitté avec plusieurs de ses cadres pour défendre officiellement les idées de Jean-Marie Le Pen au sein de la police. Insistant sur le malaise ressenti par nombre d'agents des forces de l'ordre, le Front National Police s'est présenté sous sa propre étiquette aux élections professionnelles des 12, 13, 14 et 15 décembre.

Ce fut un succès puisque le Front National Police a obtenu un élu avec près de 8 % des voix, alors que la FPIP n'a rassemblé que 5 % des suffrages. Fort de ce premier résultat, le Front National, si l'on en croit ses dirigeants, va passer à la vitesse supérieure dans les mois prochains. Il a déjà, le 25 mars, lancé le Front National RATP. D'autres syndicats devraient suivre très bientôt.

La presse sympathisante

Le Front National dispose de canaux de diffusion dans les médias français. Certains sont voyants, d'autres moins.

National Hebdo

National Hebdo est le journal le plus proche du Front National. Succédant en 1984 à *RLP Hebdo*, *National Hebdo* fut confié à Roland Gaucher et Michel Collinot. La principale signature, qui se fait remarquer par un ton qui ne s'embarrasse pas de nuances, est celle de François Brigneau.

Depuis 1993, le journal, sous la direction de Jean-Claude Varanne, se présente comme proche du Front National, mais indépendant de celui-ci. Il faut cependant noter que les locaux de *National Hebdo* se situent au siège même du Front National à Saint-Cloud, ce qui ne semble pas garantir la neutralité proclamée. Organisé depuis 1988 sous forme de société, *National Hebdo* a, de surcroît, comme plus important actionnaire le Front National.

Le journal compte vingt pages en bichromie. Le tirage hebdomadaire est de quarante mille exemplaires, dont la moitié diffusé par abonnement. Une équipe fixe d'une douzaine de personnes s'en occupe, sans compter une vingtaine de pigistes. Depuis deux ans, la fabrication «maison» a été entièrement intégrée, jusqu'à l'imprimerie. Ce dispositif, en dépit de l'absence presque totale de publicité, permet de réaliser quelques bénéfices. *National Hebdo* est distribué par les NMPP, qui lui offrent ainsi une diffusion nationale.

Présent

Disposer d'un quotidien est un vieux souhait de l'extrême droite nationaliste française, qui y voit le moyen d'infuser son idéologie auprès du grand public. Ce rêve se réalise à partir de l'année 1982, l'essai se transformant en partie en 1989, lors de la diffusion en kiosque de *Présent*.

Le journal *Présent* paraît pour la première fois en 1975 à Castres (direction de Bernard Antony) sous la forme d'un mensuel. Il connaît alors, sous cet aspect, soixante cinq parutions diffusées auprès de trois mille abonnés.

En 1981, Bernard Antony et Jean Madiran caressent l'idée d'un quotidien nationaliste et traditionaliste qui dénoncerait avec vigueur ce qu'ils appellent le *« génocide français »*.

Ayant sollicité en vain l'aide financière du CNPF, ils démarrent la parution avec le concours de Pierre Durand et de François Brigneau, grâce à quatre mille promesses d'abonnement qui proviennent des lecteurs de *Présent mensuel* et d'*Itinéraires*, la revue de Jean Madiran. La formule, publiée cinq jours sur sept à partir du 5 janvier 1982, ne séduit que cinq mille abonnés, contre huit mille espérés. Le journal *Présent* reste diffusé uniquement par abonnements jusqu'en 1989.

Les rédacteurs de *Présent* n'ont pas souhaité fabriquer un journal d'informations, mais plutôt monter une tribune, proche de la clientèle du Front National. *Présent* a depuis sa création doublé sa pagination pour atteindre désormais huit pages. Il ne semble pas que son impact ait jamais dépassé dix à quinze mille exemplaires vendus.

Rivarol

Rivarol, *« hebdomadaire de l'opposition nationale et européenne »*, le titre le plus ancien de la presse d'extrême droite, est publié pour la première fois en 1951 sous la conduite de René Malliavin.

Il est depuis 1983 dirigé par une femme, Camille-Marie Gallic. Hebdomadaire qui se présente comme centré sur l'information et la « réflexion », *Rivarol* affiche aujourd'hui, manifestement, un soutien inconditionnel au Front National, ce en dépit de quelques réticences affichées au début (il y a quelques années) à l'encontre de certains de ses dirigeants (les transfuges du RPR).

221

Minute

Minute, même s'il n'est pas formellement un journal dans l'orbite du Front National, reste cependant proche de celui-ci par les idées qu'il défend et les options, peu suspectes de gauchisme, de son lectorat.

Minute est fondé en 1962 par Jean-François Devay et Jean Boizeau à l'occasion de la guerre d'Algérie, pour dénoncer la politique gaulliste. Avec un tirage de cent cinquante mille exemplaires au début du septennat de François Mitterrand, *Minute* devient alors un des grands journaux antisocialistes de l'époque. Près de vingt ans après sa création, l'hebdomadaire de droite entre dans la cour des grands.

Son rapprochement aveuglant avec le Front National à la fin des années quatre-vingt va le conduire au bord du précipice. Il voit alors ses ventes chuter à vingt mille exemplaires.

Toujours «à la droite de la droite», *Minute* tente cependant depuis 1993, sous l'influence d'une nouvelle équipe, de se débarrasser de son image lepéniste pour toucher un lectorat issu de l'ensemble de la droite, RPR et UDF compris.

Ainsi, lors des élections présidentielles, le journal n'a exprimé aucune préférence avant le premier tour, et a clairement appelé à voter en faveur de Jacques Chirac au second tour. *Minute* vient d'adopter depuis quelques mois une nouvelle formule, légèrement moins marquée, et plus riche en *« échos sur tout le microcosme »*. Ce tournant ne semble pas du goût des responsables du Front National.

Le Quotidien de Paris

Le Quotidien de Paris vient juste, avec sa nouvelle formule, de tomber dans l'escarcelle du Front National.

Avec le *Quotidien de Paris*, c'est un grand titre de la presse quotidienne qui rejoint la mouvance lepéniste. Certes, le Front National n'apparaît pas comme propriétaire du quotidien et n'influence pas officiellement la ligne rédactionnelle. Néanmoins, nous percevons des indices plus que troublants quant à leurs accointances.

Beaucoup d'articles concernent le Front National, orientés dans un sens où l'on cherchera en vain critiques et railleries. Le Front National a, il y a quelques mois, décidé d'y abonner quelques centaines de ses cadres. Enfin, signe qui ne trompe pas, le *Quotidien de Paris* disposait d'un stand à la fête des Bleu Blanc Rouge de septembre 1995. *Le Quotidien de Paris* vient de prendre le contrôle du journal dominical *Votre Dimanche*.

Radio Courtoisie

Radio Courtoisie (Paris et régions), bien que non strictement lepeniste, s'en rapproche par la tonalité des thèmes abordés ; sont régulièrement soumis à l'opprobre : la « déchristianisation actuelle », l'avortement, la « pornographie à l'école »... On y apprend aussi bien que le régime franquiste ne manquait pas de vertus, ou que Saint Nicholas du Chardonnet organise le dimanche suivant une sortie de louveteaux.

L'émission phare : *Le libre journal* de Jean Ferré, tous les lundis soirs, de 18 H à 21 H. Jean Ferré conduit un débat assez orienté politiquement, mais souvent intéressant, où se côtoient toutes sortes de personnalités, même inattendues : plusieurs anciens ministres RPR, Michel Jobert, Pierre Chaunu.

Les réseaux internationaux

Le Front National n'est pas un parti isolé sur la scène politique européenne. Il a depuis vingt ans, petit à petit, tissé des liens avec plusieurs parti d'extrême droite sur le continent. Dès 1972, des relations très étroites se nouent avec le parti néo-fasciste italien de Giorgio Almirante, le MSI, grâce aux militants d'Ordre Nouveau. Cependant, les liens se rompent après l'entrée en dissidence d'Alain

Robert et de ses amis. Ils ne se renoueront que sous la pression des européennes de 1984, Jean-Marie Le Pen et Giorgio Almirante n'étant pas franchement des amis.

Mais l'essentiel de ses relations européennes, le Front National les doit au *Groupe des Droites Européennes*. C'est grâce à lui qu'il sort en réalité de son isolement hexagonal.

En juin 1984, le Front National fait son entrée au Parlement européen. Il va y connaître trois législatures.

La première, de 1984 à 1989, est marquée par la constitution, sous l'égide de Jean-Marie Le Pen, d'un Groupe des Droites Européennes. Multinational, celui-ci rassemble les dix frontistes, six italiens du MSI, un grec de l'EPEN (nostalgique des colonels). Un irlandais du Nord les rejoint en 1987.

En 1989, la situation évolue. Le second groupe s'organise, toujours autour des Français, mais il réunit des partenaires différents : six Allemands des *Republikaner* et un flamand séparatiste du *Vlaams Blok*. Les six Italiens du MSI réélus ne veulent plus participer officiellement, une querelle frontalière historique relative au Tyrol-sud (Haut-Adige) les opposant aux Allemands. L'explication officieuse complémentaire : premièrement le Haut-Adige est l'un des fiefs électoraux du MSI, deuxièmement les relations entre Le Pen et Almirante tanguent, chacun estimant en privé que l'extrémiste infréquentable c'est l'autre.

La stratégie du groupe elle aussi évolue, en raison de la chute du mur de Berlin. Désormais le ciment de ces « droites européennes » sera non plus l'anticommunisme, mais l'opposition à l'Europe fédérale et la dénonciation de ce qu'ils nomment le « nouvel ordre mondial ».

En 1994, Jean-Marie Le Pen, à la suite de l'échec électoral des droitistes Allemands, ne peut constituer un groupe. Les députés du Front National siègent officiellement parmi les non-inscrits. Néanmoins ils décident, avec les deux représentants du Vlaams Blok, de s'unir au sein d'une *Association des Droites Européennes*, sorte d'ersatz de l'ancien groupe. Leurs moyens se réduisent par rapport à la période précédente, mais ils trouvent une solution : le Parlement européen attribue une enveloppe à l'ensemble des non-inscrits, la répartition s'opérant ensuite par député. Les douze députés nationalistes adhérents de l'association reversent donc une grande part de leur indemnité afin d'assurer le fonctionnement de ce nouveau groupe.

Le groupe, sous la direction de son secrétaire général, Jean-Marc Brissaud (un membre « historique » du Front National) compte cinq collaborateurs, six secrétaires et un comptable. La moitié est payée directement par le Parlement, les autres par l'association. Le « groupe » dispose de bureaux à Bruxelles, à Strasbourg ainsi qu'à Paris, boulevard Saint-Germain. Jusqu'à l'adoption des lois relatives au financement des partis politiques, le Groupe des Droites Européennes a joué un rôle d'importance vitale dans la logistique et le financement du Front National.

Mais le Front National a su, en dehors du groupe, créer des contacts au sein du Parlement européen avec des élus d'autres mouvances, notamment depuis 1994 avec des membres de *Forza Europa* (berlusconistes et Alliance Nationale de Gianfranco Fini). Ce sont avant tout des rapports personnels, Gianfranco Fini ayant publiquement pris ses distances avec Jean-Marie Le Pen en indiquant que sa préférence en France allait à Jacques Chirac.

Le Groupe des Droites Européennes n'est pas la seule structure intervenant dans l'organisation des relations du Front National avec des organisations nationalistes frères. Les Comités Chrétienté-Solidarité entretiennent les liens avec certains mouvements chrétiens libanais (forces libanaises de Samir Geagea, par exemple). Le Front National multiplie lui-même les amitiés avec plusieurs mouvements de différentes nationalités.

Outre le Vlaams Blok flamand, les wallons de *Bruxelles Identité Sécurité* ont été invités aux derniers BBR.

En Espagne, c'est avec les post-franquistes de l'Alliance pour l'*Unité Nationale* que des sympathies sont entretenues, tandis qu'en Autriche des ponts sont régulièrement jetés en direction du *Parti Libéral* (qui n'en a que le nom) de Jorg Haider.

Mais surtout, depuis ces derniers mois, le Front National lorgne avec insistance sur l'Europe de l'Est, où s'opère, comme chacun, sait un réveil des nationalismes durs.

Après la Hongrie, une délégation du Front National, conduite par Bruno Gollnisch, fut l'invité de Pravicka Narodowa, en Pologne, au mois d'octobre 1995.

Mais le geste de Jean-Marie Le Pen qui a le plus attiré l'attention fut, en février 1996, sa participation au mariage religieux de Vladimir Jirinovski, leader nationaliste russe connu en Occident pour ses déclarations hégémoniques, délirantes et extrémistes.

Jean-Marie Le Pen, que j'ai questionné à ce sujet, se prononce ainsi sur l'existence de ces réseaux ainsi que sur sa visite très contestée en Russie : « *A partir du moment où il existe des internationales de tout poil, il est évident que les patriotes ne peuvent se défendre qu'en s'appuyant les uns sur les autres. Nationalistes de tous les pays unissez-vous ! Nous sommes donc intéressés, curieux d'abord, d'aller voir par nous même et non par les yeux des médias les phénomènes nationaux qui nous ressemblent dans le reste du monde. Qui nous ressemblent, mais qui ne sont pas identiques à nous. Jirinovski, quand il parle, exprime le point de vue du Parti Libéral Démocrate russe, et pas le point de vue du Front National français. Et réciproquement... Nous avons en commun ce qu'ont les nationaux. C'est l'amour de la terre, l'amour de la famille, la gloire de l'héroïsme... Nous entretenons de bonnes relations avec les Polonais, et paradoxalement avec les Croates mais aussi les Serbes, ou avec les Grecs* ».

CHAPITRE HUIT
LA PLACE DU FRONT NATIONAL DANS LA VIE POLITIQUE FRANÇAISE

Le Front National tient une place à part dans la vie politique française. Son apparition au premier plan de la scène, dans les années quatre-vingt, a réintroduit la droite extrême dans le jeu institutionnel. Il serait stupide de nier sa réalité, son importance ou son influence.

Le Front National vit sur un paradoxe : il suscite des réactions négatives, voire allergiques, chez la majorité de nos concitoyens (deux tiers des Français ne lui font pas confiance, selon les derniers sondages). Cependant ses partisans, adhérents ou sympathisants ne cessent de croître, si bien que le Front National dispose maintenant d'un réseau important d'élus, de quelques bastions, et que ses idées progressent (plus d'un Français sur quatre d'accord avec elles, 28 %, sondage *Le Monde*, 2 Avril 1996).

La question pour le mouvement aujourd'hui : savoir s'il sera capable de sortir de son isolement, afin de pouvoir un jour tenter de mettre en application son programme au niveau local ou national.

Le poids et l'implantation électorale du Front National

Le poids électoral du Front National a fortement varié de sa fondation à nos jours pour, depuis 1984, se stabiliser à une hauteur de 10 à 15 % de l'électorat, variable selon le type de scrutins. Les élections présidentielles représentent les maxima (15 %) en raison de l'impact personnel de Jean-Marie Le Pen, qui bénéficie d'ailleurs dans les sondages d'une appréciation toujours meilleure que celle de son parti.

Mais il y a la persistance d'une ligne de résistance et d'hostilité, très stable, située à hauteur de 70 % de l'électorat.

En 1973 et 1974, le Front National patauge à moins de 1 % des suffrages exprimés. A l'occasion des élections présidentielles, Jean-Marie Le Pen ne dépasse les 1 % que dans huit départements. Les pointes ont lieu sur le littoral méditerranéen et le Sud-Ouest (un peu également en Rhône-Alpes). Elles coïncident avec celles du « Non » au référendum d'avril 1962 sur les accords d'Evian ainsi qu'à celles du vote Tixier-Vignancour de 1965. Le vote Front National est alors principalement constitué par les pieds-noirs et peut être qualifié de « vote Algérie française », ce qui n'est pas exactement le cas de l'électorat de son concurrent, le PFN. En 1979 son influence diffère sensiblement de celle du Front National de 1973 et 1978, par une implantation de droite plus conservatrice (Alsace, Ouest, Paris).

Nous n'avons en 1981 aucune référence fiable du fait de l'absence de Jean-Marie Le Pen et de Pascal Gauchon de la compétition présidentielle ; les législatives ne sont pas significatives, en raison du nombre marginal de candidats nationalistes (cent soixante, dont soixante-quatorze pour le Front National).

En 1984, lors des élections européennes, le Front National atteint 11,2 % des suffrages exprimés, résultat amorcé par les municipales de 1983 et quelques élections partielles. L'objet n'est pas ici de fournir à nouveau des éléments explicatifs de cette poussée (cf. première partie, chapitre 2). Certains ont comparé ce vote au poujadisme de 1956. Il y a des éléments apparents de similitude : un point d'écart seulement (12,5 % en 1956) et un nombre presque identique d'électeurs. Néanmoins, la carte électorale se présente différemment. Le poujadisme frappait fort dans les zones rurales, pas le Front National.

Le vote Front National a évolué depuis les années soixante-dix. Il garde une forte influence dans le Midi où il réalise ses meilleurs scores, mais a gagné l'Est, ainsi que le Nord et la région parisienne. Ces trois pôles d'influence resteront jusqu'en 1988 la caractéristique géographique essentielle de l'implantation du Front National.

Là-dessus, deux explications qui se complètent:
- il prend des électeurs chez la droite traditionnelle,
- il fait des ravages dans des lieux urbanisés à forte proportion d'immigrés.

Les cantonales de 1985 et les législatives de 1986 confirment l'implantation: 8,8 % des suffrages exprimés en 1985 (5,7 % des inscrits) et 9,9 % en 1986 (7,1 % des inscrits).

En 1988, arrive l'«explosion», avec pour Jean-Marie Le Pen 14,4 % des suffrages exprimés et 4.500.000 voix, dans un scrutin qui habituellement lamine les extrêmes.

Le Front National renforce son influence dans les régions déjà favorables, mais n'arrive toujours pas à mordre sur le centre et l'ouest. En 1988, la mutation de l'électorat est perceptible par rapport à 1984 et 1986. 1984 était typique d'un vote de droite classique et bourgeois, 1986 s'apparentait plus à un vote protestataire à dominante de droite.

1988 sera un vote plus homogène sociologiquement, qui puise ses sources dans la droite comme dans la gauche: le parti commence à séduire les classes moyennes inférieures et ouvrières.

Les mutations les plus importantes ont cependant lieu de 1992 à 1995, dans un mouvement continu, amplifié à chaque élection (régionales de 1992, législatives de 1993, européennes de 1994, présidentielles et municipales de 1995). Le Front National ne progresse pas, voire même recule, dans ses fiefs historiques du sud de la France (hormis le Vaucluse, l'Ardèche et la Drôme). Il ne faut pas se leurrer, il s'y maintient tout de même à ses meilleurs scores (20 à 30 %).

Il progresse en revanche fortement en Alsace-Lorraine,

dans le Nord et en Rhône-Alpes (de 3 à 6 % en plus), autant de régions qui lui étaient pourtant déjà favorables.

Il s'améliore légèrement (de 1 à 3 %) dans des zones jusque-là rétives : la Bretagne (sauf le Finistère), la Normandie, le Centre et l'Aquitaine. Restent insensibles à son influence : le Massif-Central (en dehors de la Haute-Loire) et la Vendée.

Pour la région parisienne, l'implantation semble de plus en plus concentrée dans les départements « pauvres » de banlieue, principalement dans les cités à problèmes, mais n'arrive pas à décoller à Paris.

Le bilan de toutes ces données : une considérable homogénéisation du vote Front National sur l'ensemble du territoire, avec deux paramètres notables.

● Les « bastions » ne progressent plus et font le plein.
● Les « déserts » se comblent peu à peu.

Les municipales de juin 1995 ont confirmé le constat.

L'explication de cette mutation : les électeurs du Front National ont changé. Désormais, l'électorat est dominé par les catégories populaires. Les zones les plus concernées par le vote lepéniste sont d'ailleurs en priorité les régions en crise depuis vingt ans, comme le Nord ou la Lorraine par exemple, ainsi que les espaces urbanisés frappés par une immigration au-dessus de la moyenne (Est, Rhône-Alpes, Midi, banlieues des métropoles et de Paris).

La sociologie de l'électorat lepéniste

De 1984 à 1988, le Front National puisait les forces vives de son électorat auprès des commerçants et artisans comme de la moyenne bourgeoisie. La sociologie de ses électeurs était caractéristique d'une droite classique âgée et d'un mouvement protestataire. Or, à quoi assistons-nous depuis les élections des régionales de 1992 ? Certes l'électorat retraité fait toujours confiance au Front National, mais les jeunes (18-25 ans) votent désormais massivement pour lui (quelquefois à plus de 20 %).

L'originalité récente du vote en faveur du Front National réside en réalité dans sa composition sociale. Le Front National rassemble aujourd'hui, en 1996, les exclus, marginalisés par la fameuse *fracture sociale* dénoncée par Jacques Chirac.

En effet, le Front National ne ressemble pas du tout à un parti « bourgeois » : seulement moins de 10 %, en moyenne, des cadres supérieurs et des professions libérales reportent leurs suffrages sur lui. En revanche, en 1995, près de 30 % des ouvriers et 27 % des chômeurs ont voté en sa faveur ! Les estimations des instituts pour 1996 demeurent à peu près similaires : de 24 à 28 % des ouvriers et de 20 à 25 % des chômeurs. Les travailleurs indépendants lui font toujours confiance (plus de 20 %). La sur-représentation de ces couches par rapport aux scores électoraux (10-15 %) saute aux yeux.

Si nous revenons un instant sur la localisation géographique, on remarque que les terres où Jean-Marie Le Pen a vu son audience le plus augmenter en 1995 sont celles où Lionel Jospin a perdu le plus grand nombre de suffrages par rapport à ceux de François Mitterrand en 1988 : le Nord-Picardie, l'Alsace-Lorraine ou la couronne parisienne. C'est-à-dire les régions les plus touchées par la crise économique et les restructurations de la fin des années soixante-dix et du début des années quatre-vingt...

Que cela plaise ou non, les nouveaux électeurs qui font maintenant la force du Front National viennent donc indubitablement de la gauche.

Du reste, en 1995, lors des élections présidentielles, 18 % des électeurs de Jean-Marie Le Pen au premier tour continuaient à se réclamer intrinsèquement de la gauche !

Le Parti Communiste, et, c'est plus inattendu, le Parti Socialiste semblent tous les deux concernés par l'hémorragie.

Pascal Perrineau, directeur du CEVIPOF (Centre d'Etudes de la VIe POlitique Française) qualifie ces nouveaux électeurs de « gaucho-lepénistes » (cf. son entretien au *Nou-*

vel Observateur des 17 et 23 août 1995). Citons Olivier Duhamel, en écho : « *Le tournant important a eu lieu en 1995. Le Front National est devenu le premier parti ouvrier de France. Son électorat n'est plus un électorat réactionnaire. Le discours du Front National marche là où le discours de la gauche ne marche pas. Il assume aujourd'hui incontestablement une fonction tribunicienne* » (LCI, 15 septembre 1995).

La seconde caractéristique décelée par Pascal Perrineau est le reflux du vote strictement protestataire au profit d'une adhésion réelle des électeurs au programme et à la *préférence nationale*... C'est ce qui a permis au Front National d'amplifier en 1995 ses performances afin de consolider ses « fiefs » et de se constituer de nouveaux bastions.

Les élus et les fiefs

Le Front National compte aujourd'hui un nombre confortable d'élus : onze députés européens, deux cent trente-neuf conseillers régionaux et plus de mille conseillers municipaux (villes de plus de trois mille cinq cents habitants). Ces chiffres impressionnants restent en fait assez modestes si nous les comparons à ceux des trois grandes formations (PS, RPR et UDF).

La force électorale du Front National réside en l'existence de zones stabilisées d'implantation à l'est d'une ligne Pau-Le Havre, ainsi qu'en une poussée significative de son influence à l'ouest de cet axe.

Mais, ce qui a surtout frappé les esprits fut le gain récent de trois villes de plus de trente mille habitants.

Toulon, avec cent soixante dix mille habitants, est la treizième ville de France. La liste du Front National a été élue, dans le cadre d'une triangulaire, avec au second tour 37 % des suffrages.

Jean-Marie Le Pen et le Jean-Marie Le Chevallier, parachuté dans le Var dès 1989, date à laquelle il devient conseiller municipal, souhaitent faire de Toulon la vitrine de leur gestion nationaliste, un symbole. Sur le plan pratique, la difficulté porte avant tout sur la *préférence nationale*, concept parfaitement illégal dans de nombreux domaines, et pourtant présent dans les promesses électorales du Front National.

Dès les lendemains de son élection, Jean-Marie Le Chevallier précise sa ferme intention de s'en tenir à la loi, toute la loi, rien que la loi. Il heurte au passage certains doctrinaires du Front National, résolus à entamer coûte que coûte le bras de fer avec la justice administrative. Jean-Marie Le Pen, soucieux de l'image du Front National auprès de son électorat, calme les esprits lors d'une conférence de presse, en octobre 1995, tenue conjointement avec les trois nouveaux maires : « *Les maires du Front National ne sont pas des maires comme les autres... S'il y a contradiction entre la politique pour laquelle ont voté les électeurs et la législation, cela donnera envie aux électeurs de voter pour le Front National aux législatives* ».

Mais, absence de préférence nationale ne veut pas dire gestion identique à celle de ses prédécesseurs. Jean-Marie Le Chevallier, qui a bien failli être invalidé en raison de la présence sur sa liste de son mandataire financier (l'énigmatique Jean-Claude Poulet-Dachary, décédé, ou assassiné, au mois d'août), essaie de s'en démarquer par des gestes ostensibles. Dans le domaine sensible de la sécurité, sa première décision : le triplement des effectifs de la police municipale, puis la « réglementation » de la mendicité et l'interdiction des chiens errants. En matière financière, on remarque que les subventions en faveur d'associations de gauche ont été peu à peu réduites, voire supprimées.

Jean-Marie Le Chevallier s'est trouvé confronté à de réels problèmes de compétence de son équipe, vierge de toute expérience municipale. Il désire prioritairement présenter aux Toulonnais une image sereine et légaliste de sa gestion... en vue de sa réélection en 2001 !

Orange fut, dès le début, à l'origine de vagues plus importantes dans l'actualité, en raison de la politique de rupture initiée par son nouveau maire, Jacques Bompard. Docteur en chirurgie dentaire, âgé de cinquante-trois ans, Jacques Bompard est un « ancien » du Front National. Membre dans sa jeunesse des mouvements d'extrême droite Occident et Ordre Nouveau, ce militant nationaliste adhère dès sa fondation au Front National. En 1975, il crée et dirige la fédération du Vaucluse. Elu député et conseiller régional en 1986, il devient conseiller municipal d'Orange en 1989. Profitant des divisions de la droite, il ravit la mairie en juin 1995 avec 36 % des suffrages et quatre-vingt-sept voix d'avance, dans le cadre d'une triangulaire.

Les méthodes du nouveau maire s'avèrent, dès le départ, plus brusques qu'à Toulon. Après, au sein du cabinet, le licenciement des chargés de mission embauchés par l'ancienne équipe et le recrutement de collaborateurs au passé politique exempt de traces de gauche (le responsable de la communication serait issu du groupuscule *Troisième Voie*), Jacques Bompard a opéré un virage complet dans la politique culturelle de la ville, à la suite d'un bras de fer relatif à la gestion des *Chorégies*, dont il n'avait pas été élu président.

L'été 1995 sera particulièrement agité politiquement et médiatiquement autour du festival d'Orange. Jean-Marie Le Pen va jusqu'à traiter le ministre de la Culture, Philippe Douste-Bazy, de « *nouvelle espèce de crétin. A côté du crétin des Alpes, il y a désormais le crétin des Pyrénées* ». Actuellement, beaucoup de projets antérieurs semblent suspendus et nombre de subventions réduites ou non-reconduites. La principale préoccupation de Jacques Bompard : l'état des finances de la ville (qu'il dénonce comme calamiteux, en attribuant la responsabilité à la gestion de l'ancienne équipe municipale socialiste). Face à Jacques Bompard, le RPR et l'UDF se réorganisent, sous la houlette du jeune député gaulliste Thierry Mariani, président des Chorégies d'Orange, qui vient de créer trois associations pour « occuper le terrain » et barrer la route des législatives au Front National : *Orange Liberté, Orange Egalité* et *Orange Fraternité*.

Le troisième « mousquetaire » de l'équipe, Daniel Simonpiéri, est celui dont on parle le moins dans les médias, alors que sa politique, loin de s'apparenter à du « FN light », ne manque pas de muscle.

Jeune, âgé de quarante-cinq ans, cadre dans une société bancaire, Daniel Simonpiéri, lui aussi un vieux militant nationaliste (adhérent du Front National depuis l'année 1974) habite Marignane depuis ses onze ans. Conseiller municipal depuis 1989, grâce à une triangulaire qui a bien failli devenir une quadrangulaire si le candidat de gauche ne s'était retiré la veille du second tour, il est élu maire de Marignane, en juin 1995, avec 37 % des suffrages exprimés.

Daniel Simonpiéri et la municipalité frontiste se sont attaqués de manière non médiatique mais certaine au « fiscalisme » et à l'« immigration » dénoncés par leur programme électoral.

Le budget tâche de dégager à terme une baisse de l'imposition. A ce sujet, une polémique est née en décembre dernier, du fait de la non-reconduction d'une subvention aux Restos du Cœur.

En matière d'immigration, Daniel Simonpiéri veut imposer la préférence nationale de fait, grâce à des moyens détournés (menus dans les cantines scolaires...). Sans vagues, le slogan « Les Français d'abord » émerge dans la douzième circonscription des Bouches-du-Rhône.

Ces trois « fiefs » constituent un défi mais restent néanmoins fragiles. De leur réussite ou de leur échec dépendent en grande part la crédibilité et l'avenir du mouvement de Jean-Marie Le Pen, à court terme comme à long terme. Si la préférence nationale ne peut trouver son application en dehors des rares cas prévus par la loi (embauche des fonctionnaires), les maires lepénistes ont cependant les moyens de rendre dans les faits leurs communes « désagréables » aux étrangers.

Les électeurs se contenteront peut-être d'ailleurs d'un simple renforcement de mesures sécuritaires et d'une baisse sensible de l'imposition...

Dans les trois cas, l'élection a été acquise de justesse par triangulaire et l'opposition paraît en mesure de se ressaisir.

La médiatisation des décisions des nouveaux maires, politique pratiquée par beaucoup de leurs adversaires locaux, peut s'avérer une arme à double tranchant : dans un réflexe de repli, l'électorat pourrait se raidir et se stabiliser davantage encore au plan local ou national.

Le positionnement vis à vis des autres partis

La question du positionnement et des relations du Front National avec les autres partis hexagonaux est relativement simple : le Front National n'entretient aucun contact aussi bien avec la gauche qu'avec la droite parlementaire du RPR et de l'UDF.

Certes, des tentations ont existé au sein de cette dernière, de 1984 à 1988, mais, depuis cette date, les gaullistes et les libéraux ont toujours refusé l'alliance et décliné les invitations à discuter que, régulièrement, Jean-Marie Le Pen lançait à leur adresse.

Selon Jean-Marie Le Pen : « *Ce blocus est en relation directe avec l'influence des grands lobbies et avec le ralliement à l'idéologie mondialiste. Ce qui est honteux, c'est qu'en s'inspirant de De Gaulle, tous ces gens-là vont renier toutes les valeurs du gaullisme, c'est-à-dire le patriotisme, le nationalisme, la grandeur de la France, la souveraineté de la France pour entrer dans le giron d'une Europe mondialiste d'ores et déjà ringarde et dépassée* ».

Depuis 1989, le Front National s'est enfermé lui même dans un isolement absolu ; il a été, du reste, contraint à se poser en recours contre ce qu'il appelle l'« établissement ».

L'existence du Front National ne peut pas laisser indifférente la classe politique.

A droite, le danger est grand sur un strict plan électoral. Lors des dernières partielles, la majorité présidentielle a vu ses scores chuter considérablement. Jean-Marie Le Pen (suite à une législative dans le Var perdue fin mars par la droite) a décidé, avec le bureau politique, d'entamer une attitude d'hostilité systématique au RPR et à l'UDF afin de *« faire battre partout où cela sera possible la majorité en 1998 »*. La majorité actuelle subit le dilemme suivant : soit elle attaque farouchement avant le premier tour le Front National (comme dans le Var) mais alors elle s'expose pour le second tour au non-report – gage de défaite –, soit elle reste officiellement indifférente.

Cette dernière voie a le plus souvent été préférée.

Jacques Chirac ne répète-t-il pas : *« Chaque fois que l'on parle de Le Pen, on le gonfle »*.

Certains, à droite, envisagent toutefois une autre solution : reprendre un discours populaire et national, abandonné depuis quelques années au profit d'un discours libéral plus élitiste.

A gauche, l'enjeu, jusqu'à une date récente, divergeait. Schématiquement (car tous les responsables de gauche ne partageaient pas le même cynisme), il s'agissait pour elle de laisser le Front National pêcher dans les voix de droite, et, parallèlement, de dénoncer vigoureusement le lepénisme. Cependant, depuis peu, le Front National harponne une grande part de ses électeurs dans le vivier de la gauche. Ce qui, pour le Parti Socialiste, change les données du problème.

Au mois de mars 1996, le premier secrétaire du Parti Socialiste a donc abordé officiellement la question d'une rupture de stratégie. Selon Lionel Jospin : *« Il ne faut ni diaboliser ni banaliser le Front National. Si nous le diabolisions, nous prendrions le risque d'être incompris d'une partie de ces milieux populaires qu'il faut reconquérir. Il ne faudrait pas qu'ils se sentent isolés, rejetés, sous le coup de notre condamnation. Il faut, néanmoins, dénoncer fermement les idées du Front National et le Front National pour ce qu'il est, un parti d'extrême droite, xénophobe, voire raciste, un parti dont les leaders tiennent des propos antisémites, cultivent la nostalgie pétainiste, un parti qui se dit populaire mais dont le programme est réactionnaire et antisocial »*.

Nonna Mayer, chercheur au CNRS spécialisée en sociologie électorale des mouvements protestataires, a bien résumé dans *Le Point*, en date du 7 octobre 1995, cette prise de conscience : « *La lutte contre le Front National ne pourra se faire que sur le terrain de la politique, et pas sur celui de l'indignation morale* ».

L'avenir du Front National

L'avenir du Front National constitue le problème le plus délicat à résoudre pour les observateurs du monde politique.

Ce qui paraît certain : le parti lepéniste sera présent aux législatives de 1998, dans la double finalité d'obtenir plusieurs élus et de faire battre les candidats de la majorité présidentielle grâce à la multiplication des triangulaires ou des quadrangulaires.

Jean-Marie Le Pen vient d'ailleurs d'annoncer à ses élus, réunis à Bordeaux le 23 mars dernier, son intention d'appeler dans toutes les partielles et aux prochaines législatives à voter contre la droite parlementaire : « *Jusqu'ici, nous nous étions tenus dans une certaine réserve... Prisonniers d'une éducation traditionnelle, nous avions une certaine difficulté à choisir un socialiste ou un communiste plutôt qu'un RPR ou un UDF. Mais, dans le fond, RPR et UDF sont pires que socialistes et communistes, car ils ont été élus par des citoyens français de droite aspirant à l'ordre, à la dignité et à la défense de la patrie, et ils trahissent beaucoup plus leurs électeurs que ne le font les autres* ».

La stratégie du Front National pour 1998 : remporter les élections ? Impensable. Mais provoquer une cohabitation afin d'apparaître, à droite, comme un recours, oui.

Le Front National spécule sur l'impuissance supposée des socialistes à gouverner et à résoudre les problèmes des Français ; dès lors, il pourrait, selon cette analyse, continuer à mordre sur l'électorat de la gauche populaire. En cas de succès du RPR et de l'UDF en 1998, les perspectives électorales se présentent moins bien.

Mais, à écouter les dirigeants, l'échéance capitale reste 2002, date prévisible des prochaines élections présidentielles. En dépit de son âge (soixante-quatorze ans dans six ans), Jean-Marie Le Pen semble inclure sa présence lors de cette échéance capitale : *« Je suis marin et, comme tel, j'observe depuis mon enfance la marche des milliards de galaxies dans le ciel et ne me fais pas trop d'illusions sur la trace que les hommes laissent dans l'univers. Mais j'ai quelques affections de proximité, dont celle de mon pays, et si je puis lui être utile, je suis à son service. S'il n'a pas besoin de moi, laissez-moi m'endormir du sommeil de la terre »*.

Le Front National et Jean-Marie Le Pen ont-ils les moyens de leurs ambitions ? Selon les divers instituts, depuis le mois de janvier 1995, ils connaissent tous deux une stabilisation à la hausse des opinions favorables.

Ce « petit matelas » représente pour le président du Front National une cote d'avenir de 17 % à 22 % selon la Sofres et de 14 % à 18 % de bonnes opinions d'après CSA. Pour le Front National et son chef, les intentions de vote (le plus significatif) oscillent désormais, selon la Sofres, entre 15 % et 20 %, et entre 11 % et 15 % d'après BVA.

La ligne de « résistance », selon les sondages, passe donc à une moyenne de 15 %, contre 12 à 13 % quelques mois auparavant

Il faut ici noter que le Front National a vu fréquemment son impact minoré par ces mêmes organismes, tant l'électorat du Front National est difficile à appréhender pour les raisons les plus diverses (volatilité, réticence des sondés à se déclarer lepénistes...).

Avec seulement 15 %, il est rigoureusement impossible de prendre le pouvoir, surtout dans un système de scrutin à dominante majoritaire.

Toutefois, aux alentours de 18-20 % de moyenne nationale (ce qui suppose des pointes locales à 25-30 % minimum), il est envisageable de dénicher des notables ralliés, ou des alliés à part entière, et ainsi, par le débordement des états-majors nationaux, de faire basculer les majorités.

C'est ce schéma de pensée qui retient l'attention de certains dirigeants du Front National (Bruno Mégret, par exemple) mais qui a peu de chances d'aboutir, prioritairement du fait même de l'attitude intransigeante d'autres responsables lepénistes, hostiles à cette ligne «à l'italienne» (appelée ainsi en raison de ses similitudes avec le développement de l'*Alliance Nationale* sur les cendres du MSI, réalisée par Gianfranco Fini).

Plus que l'attitude de ses adversaires, l'isolement culturel (et la persistance d'une forte hostilité de l'opinion) reste le principal boulet du Front National, et devrait l'empêcher de devenir prochainement un parti de gouvernement.

Néanmoins le Front National, du fait de son enracinement électoral et de l'adhésion de ses électeurs aux «originalités» de son programme, semble faire maintenant partie pour longtemps de notre paysage politique.

Ce parti a tous les atouts en main pour survivre à la disparition politique de son fondateur, Jean-Marie Le Pen, à condition que la «guerre de succession» ne débouche pas sur des scissions mortelles, ce qui a souvent été le cas à l'extrême droite.

L'hypothèse la plus probable demeure sûrement, dans quelques années, la désignation par Jean-Marie Le Pen lui même de son successeur, choisi parmi les figures actuelles ou émergentes du Front National de 1996.

ANNEXES

Tableau 1 : Organigramme du FN

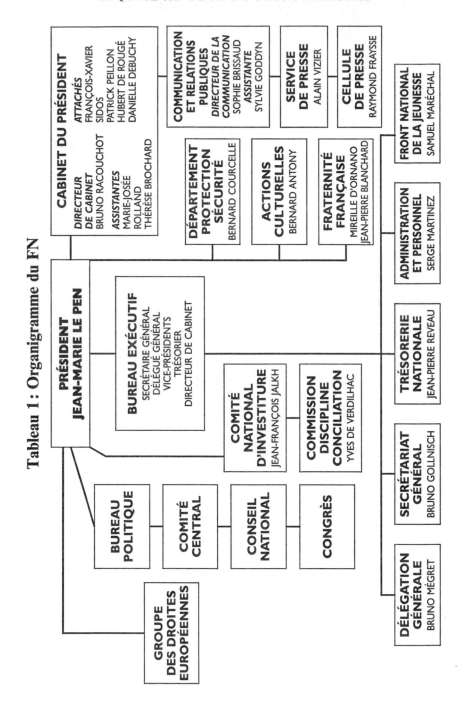

Tableau 2: Organigramme du Secrétariat Général

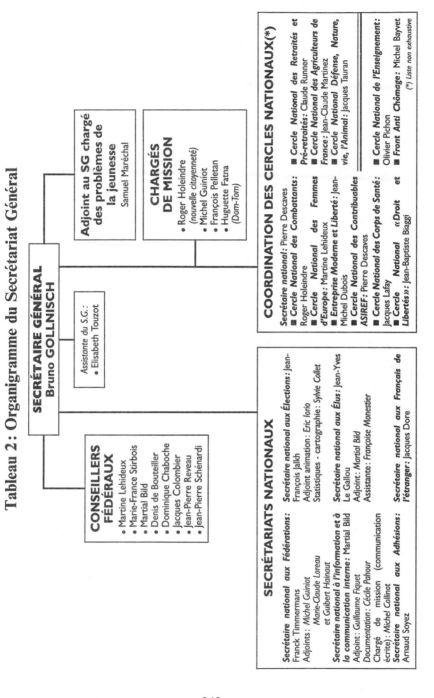

SECRÉTAIRE GÉNÉRAL
Bruno GOLLNISCH

Assistante du S.G.:
• Elisabeth Touzot

Adjoint au SG chargé des problèmes de la jeunesse
Samuel Maréchal

CHARGÉS DE MISSION

• Roger Holeindre *(nouvelle citoyenneté)*
• Michel Guiniot
• François Pelletan
• Huguette Fatna *(Dom-Tom)*

CONSEILLERS FÉDÉRAUX

• Martine Lehideux
• Marie-France Stirbois
• Martial Bild
• Denis de Bouteiller
• Dominique Chaboche
• Jacques Colombier
• Jean-Pierre Reveau
• Jean-Pierre Schénardi

SECRÉTARIATS NATIONAUX

Secrétaire national aux Fédérations: Franck Timmermans
Adjoints: *Michel Guiniot Marie-Claude Loreau et Guibert Hainaut*
Secrétaire national à l'Information et à la communication interne: Martial Bild
Adjoint: *Guillaume Fiquet*
Documentation: *Cécile Pahour*
Chargé de mission (communication écrite): *Michel Collinot*
Secrétaire national aux Adhésions: Arnaud Soyez

Secrétaire national aux Élections: Jean-François Jalkh
Adjoint animation: *Eric Iorio*
Statistiques - cartographie: *Sylvie Collet*
Secrétaire national aux Élus: Jean-Yves Le Gallou
Adjoint: *Martial Bild*
Assistante: *Françoise Monestier*

Secrétaire national aux Français de l'étranger: Jacques Dore

COORDINATION DES CERCLES NATIONAUX(*)

Secrétaire national: Pierre Descaves
■ Cercle National des Combattants: Roger Holeindre
■ Cercle National des Femmes d'Europe: Martine Lehideux
■ Entreprise Moderne et Liberté: Jean-Michel Dubois
■ Cercle National des Contribuables ASIREF: Pierre Descaves
■ Cercle National des Corps de Santé: Jacques Lafay
■ Cercle National «Droit et Libertés»: Jean-Baptiste Biaggi

■ Cercle National des Retraités et Pré-retraités: Claude Runner
■ Cercle National des Agriculteurs de France: Jean-Claude Martinez
■ Cercle National Défense, Nature, vie, l'Animal: Jacques Tauran

■ Cercle National de l'Enseignement: Olivier Pichon
■ Front Anti Chômage: Michel Bayvet

(*) Liste non exhaustive

243

Tableau 3 : Organigramme de la Délégation Générale

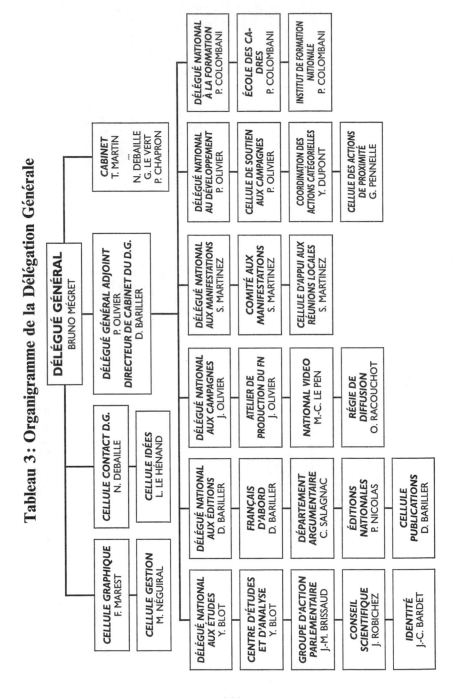

Tableau 4 : Le vote Le Pen en 1995

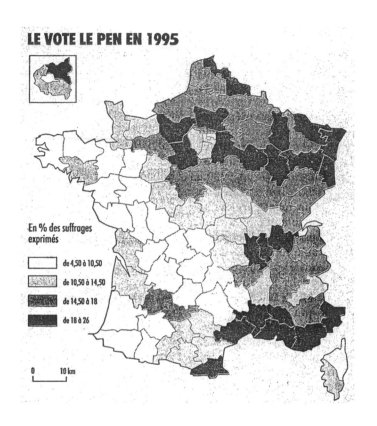

Tableau 5 : La progression du vote Le Pen
(source : *Le Figaro* 13/02/96)

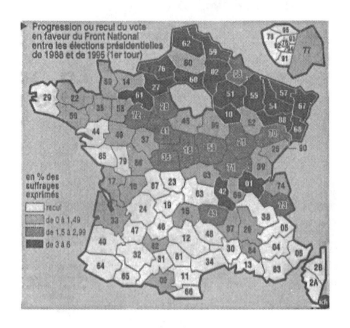

TABLE DES MATIÈRES

Achevé d'imprimer en avril 1996
sur presse CAMERON,
par Bussière Camedan Imprimeries
à Saint-Amand-Montrond (Cher)

Dépôt légal : mai 1996.
N° d'impression : 1/1011.

Imprimé en France